D0353868

CRÉATIF DE CHOC !

POCKET BUSINESS

ROGER VON OECH

CRÉATIF
DE CHOC !

Traduit de l'américain
par Anita de Cossé-Brissac

Adaptation de
Ted Candy

Illustrations
Georges Willett

BUSINESSMAN/F1RST

À Wendy et Athena

Edition originale américaine
"A Whack on the Side of the Head"
© 1983 by Roger von Oech

Published by arrangement with Warner Books, inc, New York.

Traduction française
© First, inc., 1986

ISBN 2–266–03265–8

Préface
de Jacques Séguéla

Je n'ai pas le goût des préfaces.

J'ai cru deviner à leur dégustation qu'elles étaient trop souvent les loukoums de l'édition.

Une petite sucrerie avant la prestation de l'auteur pour mieux assoupir le jugement de son lecteur.

Hélas pour Roger von Oech, je suis plus fiel que miel.

Aussi pour annoncer le spectacle jouerai-je les « Monsieur Déloyal ».

Je tremperai ma plume dans l'acide.

D'autant que, cher Roger, je ne te connais pas.

Ou peut-être te connais-je trop. Se livrer par écrit est tellement plus révélateur. A ce jeu, pas de tricheries, la page blanche n'a cure des effets de manches ou de regards. Seul charme autorisé, celui de la pensée. Si nous étions plus sages, nous ne choisirions nos amis que sur épreuves d'impression.

Il est un village perdu de Bornéo où les habitants élisent leur chef une fois l'an. L'élection est publique et ouverte à tous. Chaque candidat a trente minutes pour convaincre. Ainsi défilent sur l'estrade dressée sur la place tous les aspirants au pouvoir, mais, sagesse suprême, la foule qui les élit leur tourne le dos. Afin de ne se laisser séduire ni par le plumage ni par le ramage. Dans la course au pouvoir, seul compte le poids des mots. Ainsi de notre rencontre, mon cher von Oech, je te jugerai sur pièces.

Avant de commencer à te lire, je dois à l'honnêteté de te révéler mes deux a priori.

Un : la créativité, on ne me la fait pas, c'est mon pain quotidien. Pour la vendre, je n'ai pas hésité à me travestir en pianiste de bordel, puis en producteur hollywoodien et enfin en fils de pub. Alors ton numéro de sado-maso pour pédégé en mal de sensations, je connais, passons.

Deux : le *Spirit of America*, très peu pour moi.

J'ai trop combattu la superbe publicitaire yankee qui, à coup de promesse et de *reason why*, a réduit son consommateur en gogo pour tomber aujourd'hui dans le panneau du « vous êtes tous des créatifs ».

Comment oublier que la meilleure annonce que vous ayez faite pour votre pays est l'œuvre d'un Français : c'est la statue de la Liberté. Merci Bartholdi. Tu comprends bien, mon cher Roger, que rien ne nous rapproche. Ton éditeur doit être inconscient ou pervers pour m'avoir offert cette tribune. Mais la préface est tirée, il te faudra donc bien la voir.

D'autant qu'il reste un ultime et extrême désaccord entre nous. Là rien ne me fera fléchir. Les donneurs de leçons, non merci. J'ai comme toi dans ma jeunesse déjà donné. Et j'en ai honte. De quel droit nous parons-nous de la toge du prophète ? Qui nous autorise à savoir ? Les semeurs de conseils ne méritent de récolter que l'indifférence. Un jour de spleen et de lucidité, Françoise Sagan m'a sussuré un de ces mots choc qui vous mettent KO et dont vous ne vous relevez jamais totalement intègre : « Qui peut se vanter d'avoir raté sa vie ? »

Alors mon vieux Gégé, à mon tour de te sonner pour le compte : qui peut se vanter d'avoir fait réussir la vie des autres ?

Bref, j'en serais resté là et je n'aurais jamais ouvert ton livre si je n'étais tombé sur la critique d'un de mes héros de la mutation, Nolan Bushnell : « Si l'on suit ne serait-ce que 10 % des conseils prodigués par von Oech, on est sûr de développer son pouvoir d'imagination. »

Un tel compliment sortant de la bouche de l'inventeur de l'*Atari way of life* ne pouvait que m'inciter à la lecture.

Je m'attelai donc bon gré mal gré à la tâche.

Plus aigri encore car ta quatrième de couverture m'avait révélé ton tirage US (300 000 exemplaires). A moi qui malgré mes millions de pub n'ai jamais pu dépasser le score de 120 000.

Comment aussi ne pas pâlir devant la liste de tes clients : Colgate, Dupont, General Electric, IBM, ITT, la Nasa et Xerox.

Ma jalousie fut à son comble lorsque je découvris, au hasard d'une page, ce que tu avais fait subir à tes vénérables annonceurs. Qui chez nous peut imaginer un consultant coiffant d'un bonnet d'âne, devant ses cadres, Jean-Luc Lagardère, Jacques Calvet ou Antoine Riboud parce qu'il vient de juger leur intervention trop platouille. Eh bien, tu l'as fait. Ainsi commençai-je à te prendre en estime.

Bien m'en prit.

Je tombai après quelques pages sur une citation de Woody Allen : « J'aimerais dire un mot sur la contraception orale. J'ai moi-même été .témoin d'un bon exemple de ce type de contraception. J'ai demandé à une fille si elle voulait coucher avec moi et elle m'a répondu non. »

Quelqu'un qui se réfère à l'immortel auteur de *La Rose pourpre du Caire* ne peut être totalement mauvais. Fût-il américain et conseil en créativité.

Rien d'étonnant à ce que l'un de tes premiers commandements soit d'être détonnant. La provocation est à la communication ce que la bombe est au terroriste, son moyen d'existence. Comment se faire entendre autrement dans ce vacarme médiatique qui vous assourdit pour mieux vous engourdir.

Si Coluche ou Gainsbarre avaient été représentants en marketing et non en show-biz, nul doute qu'ils auraient écrit ce livre avant von Oech.

Le billet de 500 F que Gainsbourg brûle en direct face caméra pour stigmatiser la petite mort de la société de consommation, c'est bonnet blanc et blanc bonnet !

Ma parole, y aurait-il un *frenchie* qui sommeille en ce *yankee* de Roger ?

D'ailleurs, ne prêche-t-il pas pour la seconde bonne idée au lieu de toujours nous satisfaire de la première venue. Jean Feldman, le Zeus communicant, me l'avait, avant lui, soufflé à l'oreille : « Les idées, c'est comme les spermatozoïdes, il y en a des millions mais une seule franchira tous les obstacles et procréera. Notre métier, c'est de la faire exister. »

Voici donc que se cache aussi un publicitaire derrière ce consultant, et pas n'importe quel publicitaire.

Son chapitre sur l'art du fiasco est dédié à Thomas Watson, le fondateur d'IBM, l'immortel auteur de la maxime : « Si vous voulez réussir, il faudra doubler votre pourcentage d'échecs. » Von Oech se prend pour Jean-Michel Goudard.

Bref, ce Gégé commençait à me plaire.

Pour couronner le tout, ne voici pas qu'il nous recommande, au détour d'un autre déverrouillage, de retrouver le poète qui est en nous. Un vrai fils de pub en quelque sorte. Dans ce plaidoyer pour l'esprit de déraison, j'ai cru entendre le souffle de Cocteau. Je me souviens de sa réponse bleue à la question noire d'un petit journaleux : « Qu'emporteriez-vous si votre maison brûlait ? Le feu » répondit le père d'Orphée. Roger ne l'aurait pas condamné à son bonnet d'âne. Mais combien de nos caciques l'ont fait.

Quand oserons-nous faire confiance à nos poètes ?

Dans la quête de ses protecteurs, l'homme s'est toujours fourvoyé. Au début des temps, Cromagnon, à la recherche du bonheur, se confia aux guerriers. Mais les guerriers inventèrent la guerre. Déçus, les humains se tournèrent vers le ciel. Aussitôt les religieux les précipitèrent dans les guerres de religion. Un peu plus désespérée, l'humanité en appela aux dieux du commerce. Ce fut la grande époque des marchands. Et patatras, ceux-ci firent les guerres coloniales. Alors, éperdus de honte, les hommes en appelèrent à l'industrie. Et les industriels s'engagèrent dans la pire des guerres, celle qui aujourd'hui encore nous ronge : la lutte des classes. Trêve d'égarement, et si pour une fois nous demandions aux poètes d'assurer notre destinée.

Vive les hors-la-loi. C'est un autre des commandements oechiens. Être créatif, écritil, c'est jouer au révolutionnaire. Ah mon frère d'armes, comment ne pas t'ouvrir les bras. Je me suis trop démené pour sortir la pub de ses ornières conservatrices pour ne pas souscrire à ta thèse. Inventer c'est détruire. Il n'est d'idée nouvelle qu'en tuant les idées reçues. John Kenneth Galbraith l'a confessé luimême : nous autres les économistes, nous avons cassé la machine de la consommation. A vous les imaginants d'inventer demain. Allons z'idées.

On ne regarde pas l'avenir dans son rétroviseur. La course à la créativité est une fuite en avant. Fuyons vers notre futur.

« *Qui met ses pas dans les traces de celui qui le devance ne le dépassera jamais.* » Ainsi parlait Mao. Sa longue marche faisant foi. Ainsi parle von Oech. Et ainsi commençai-je à l'aimer.

Il ne me restait, pour l'adopter, qu'à mieux connaître ses inimitiés. Dis-moi quels sont tes ennemis, je te dirai qui tu es. Je vous le donne en mille : qui est la tête de turc de Roger ? Ma tête à claques : Descartes.

Ô joie ! Voici que le gourou de Silicon Valley part lui aussi en guerre contre ce mal blanc. Qui sait si, forts de cette alliance atlantique, nous n'allons pas réussir à le terrasser. Le cartésianisme est le plus grand émasculateur d'idées que n'ait jamais enfanté l'histoire. L'invention n'est que le culte de l'illogisme.

Aux adeptes du *Discours de la Méthode*, je livre cette fable :

Un Belge rencontre un autre Belge et l'interpelle.

— Comment vont les affaires ?

— Oh, les affaires c'est fini pour moi, rétorque le premier. J'ai tout abandonné pour suivre des cours de logique.

— De logique ? Mais c'est quoi la logique ?

— Très simple, explique son ami.

— *Aimes-tu les aquariums ?*
— *Oui.*
— *Alors tu aimes les poissons ?*
— *Oui.*
— *Donc tu aimes la nature ?*
— *Oui.*
— *Et naturellement tu aimes les hommes ?*
— *Oui.*
— *Conséquence : tu aimes les femmes ?*
— *Absolument.*
— *Eh bien, c'est ça la logique !*
— *Extraordinaire !* conclut le Belge. Et il va sa vie.

Quelques jours passent et notre héros se retrouve dans un dîner mondain. Il frétille de sa nouvelle découverte.

— *Alors,* lui dit son hôte, *les affaires ?*
— *Ciao le business,* enchaîne-t-il. *Place à l'étude de la logique. Mais mon cher, savez-vous seulement ce qu'est la logique ?*
— *Pas vraiment,* avoue l'autre.
— *Très simple. Aimez-vous les aquariums ?*
— *Non.*
— *Eh bien, vous êtes pédé. C'est ça la logique.*

Dans la critique de ce que vous allez enfin pouvoir lire (les préfaces sont comme les histoires, les plus courtes sont toujours les meilleures) le *Los Angeles Times* conclut : « Pour être créatif, il faut avoir le sens de la folie. » Notre journal officiel, *Le Monde*, aurait-il su imprimer pareille insulte à Descartes ? Et vous messieurs nos chefs d'entreprise, cadres sup ou cadres lecteurs adeptes de ce monument d'habitude et d'ennui, oserez-vous sauter le pas et tenter cette revigorante lecture ? Vous devriez.

Elle vous décaperait les méninges jusqu'à réveiller l'imagination qui sommeille en vous.

Mais au fait, à trop vous vanter les pouvoirs oechiens, j'en deviens suicidaire. Car pour être vraiment franc, mon cher Roger, je souhaite à ton livre de n'avoir aucun succès et de finir le plus tôt possible au pilon. Sinon les petits malins qui le mettraient en pratique seraient bien capables de me mettre au chômage. Je n'ai pas mis quatre livres, des dizaines d'émissions de télé et un bon millier d'interviews à m'attribuer moi-même le titre de meilleur créatif de ma génération, pour me faire coiffer au poteau.

C'est tout le mal que je vous souhaite, chers lecteurs. Vous avez les cartes de la créativité à portée de main. Il vous suffit de tourner les pages.

Veinards !

Jacques Séguéla.

Avant-propos
par Nolan Bushnell

Je suis enchanté que Roger m'ait demandé d'écrire l'avant-propos de son livre. À mon avis, on a tous besoin, à un moment ou à un autre, d'un bon choc pour stimuler sa créativité. Ce livre est le fruit de l'expérience de Roger dans sa contribution à la conception d'idées, leur maniement, et leur application efficace. Je suis convaincu que ses idées apporteront une stimulation à notre esprit d'innovation.

Cet avant-propos a l'avantage de me permettre d'exposer quelques idées que j'ai sur le sujet. Je crois personnellement que faire preuve d'innovation c'est d'abord s'amuser énormément. C'est ce qui m'a poussé à tenter tout ce que j'ai pu réaliser. Quand j'étais gosse, mon passe-temps favori était mon jeu de construction. Plus tard, je me suis consacré à l'ingénierie, puis aux affaires. Il me semble qu'il y a dans chacune de ces activités une dimension qui leur est commune. La créativité nécessaire à tout montage, que ce soit un pont en miniature, un réseau de circuits intégrés, ou une nouvelle société, c'est cela qui m'excite vraiment. Quand vous construisez un pont miniature, il vous faut en équilibrer les éléments pour créer un édifice solide. Quand vous constituez une nouvelle société, il vous faut créer un produit dont les gens ont envie, avoir une politique de recrutement qui attire les personnalités capables, et créer l'environnement où elles pourront faire preuve d'efficacité et d'innovation.

J'ai remarqué que les innovateurs ont un grand nombre de points communs. D'abord, ils ont le sens de l'urgence — le désir de réaliser leurs idées. Et ils veulent les réaliser de suite, pas dans une semaine, pas après-demain. De suite. J'aime me fixer des délais difficiles à tenir car je pense que la clé de l'inspiration, c'est la limite de temps. La grande majorité des gens effectuent leur travail dans le temps qui leur est imparti. Je considère que l'une des raisons pour lesquelles les entreprises américaines respectent aussi bien les délais impartis tient au phénomène des salons professionnels. Deux fois par an dans ce pays, le talent créatif est mis rudement à contribution pour préparer les foires et salons, et ceci a un effet extrêmement bénéfique sur l'économie. Sans ce type de pression, tout irait à la dérive.

J'ai aussi remarqué que les innovateurs ont une passion réelle pour ce qu'ils font. Je ne sais si cette passion est innée, mais elle peut être totalement éteinte chez certains. Réfléchissez-y : quelle dose de passion peut-on attendre de M. Dupont si, à chaque fois qu'il court dans tous les sens en manifestant son enthousiasme, on lui assène un grand coup sur la tête en lui disant : « Assieds-toi » ? Vous avez raison, pratiquement aucune. C'est une des raisons pour lesquelles il est si difficile d'élever un enfant. Je remarque chez mes enfants des traits qui seraient fantastiques chez un adulte, et pourtant, de temps en temps ils me font devenir chèvre. Parfois je dois me laisser surprendre, m'interrompre et les écouter. Si je passe mon temps à dire « non », ils perdront probablement la créativité et l'imagination dont ils auront besoin plus tard pour être des adultes créatifs.

Je suis d'accord avec les prémices de Roger à propos des « verrous » qui entravent notre pensée. Ce sont souvent nos propres attitudes qui nous empêchent d'être créatifs. Alors que ces « verrous » sont appropriés pour la majorité de nos activités, ils sont autant de freins lorsqu'il s'agit de faire preuve d'innovation. En ce qui me concerne, j'ai essayé de garder une certaine souplesse dans ma manière de penser. Voici quelques idées qui me permettent de mettre mon esprit à l'abri de certains de ces verrous.

Verrou n° 3 : « Suivez les règles. »
Pendant longtemps, les flippers ont été conçus pour que le champ du jeu ait une largeur de 66 centimètres. Chaque fois que les concepteurs cherchaient à améliorer le jeu, ils passaient leur temps à mettre au point plus de tampons, de

*cibles et de « flippers ». Le problème était qu'ils se limitaient
à un champ trop restreint et se posaient donc les mauvaises
questions. Je pris la décision d'améliorer le jeu en l'élargis-
sant de 10 centimètres. Ainsi, j'augmentai ses possibilités et
le rendis plus jouable. J'ai appris depuis à ne pas craindre
d'enfreindre les règles établies dès lors que cela menait à de
nouvelles idées.*

Verrou n° 9 : « Arrêtez de déconner. »
*Je m'aurorise à faire l'imbécile car je pense que cela permet
de ne pas se prendre trop au sérieux, donc de se délier
l'esprit et de proposer d'autres idées.*

Verrou n° 7 : « Jouer, c'est pas sérieux. »
*Je me suis aperçu qu'une grande partie des idées qui m'ont
fait gagner de l'argent me viennent quand je suis décon-
necté, en dehors de la routine. Je suis alors loin de mon
téléphone et de mon environnement habituel, et libre
d'essayer des tas de choses. Quand je joue, je crois que je
permets à une autre partie de mon cerveau de se mettre en
marche. Par exemple, lorsque j'ai inventé le jeu « Break-
out » (Évasion), j'étais sur la plage à jouer avec le sable. Ma
vie oscille entre être un personnage du matin et être un personnage du soir. Quand je suis quelqu'un du soir, je suis
très créatif, et quand je suis quelqu'un du matin, je viens à
bout de beaucoup de choses. Mais j'aime varier afin de ne
pas m'enfermer dans une routine. Et je pense que c'est un
des points principaux de ce livre.*

Verrou n° 6 : « Il ne faut pas se tromper. »
*C'est la vieille histoire du type qui va réaliser cinq choses
bien — mais seulement cinq — et donc faire du 100 %, par
opposition à celui qui n'aura qu'un score de 60 % mais sur
cent choses qu'il aura tentées. À choisir, je n'hésite pas une
seconde. À condition, bien sûr, d'éviter les erreurs fatales,
j'aurai fait aboutir soixante projets là où le premier n'en
aura eu que cinq. Si vous n'avez jamais connu l'échec, c'est
que vous n'allez pas jusqu'au bout de vos possibilités. Par
exemple, j'ai appris énormément sur la restauration en
investissant dans le restaurant Brewery à San José. C'était
avant que je ne monte le Pizza Time Theatre. J'ai perdu
trois millions de francs sur cet investissement mais cela
m'a servi de leçon quant à l'importance d'un emplacement.
Ce n'est pas à Harvard que l'on apprend ce genre de choses.*

Verrou n⁰ 10 : « Je ne suis pas créatif. »
Quand Nietzsche a dit que les gens étaient prêts à laisser leur liberté sur les marches de l'Église, il faisait allusion à la religion mais il aurait tout aussi bien pu évoquer le courage d'être entreprenant. La plupart des gens reculent devant la responsabilité qu'il y a à être innovateur, créatif. Ils disent : « Je ne peux pas le faire. » Ce comportement est stupide. Si on pense vraiment pouvoir le faire, on mettra tout en œuvre pour y arriver. Je sais que mon amour-propre a joué un rôle primordial pour arriver à mettre mes idées en pratique — je me considère comme un vrai entrepreneur. Je suis sûr que d'autres gens ont eu des idées semblables aux miennes. La différence est que j'ai mis en pratique les miennes et qu'eux ne l'ont pas fait.

Il est important de se remettre en cause, comme le dit Roger, de « se secouer ». Si vous laissez vos habitudes gangrener votre pensée, vous serez incapable d'avoir des idées neuves. Si vous suivez ne serait-ce qu'un dixième des conseils donnés dans ce livre, vous serez bien parti pour être *créatif*.
Bonne chance !

Nolan Bushnell,
Fondateur d'Atari, inc.,
Chuck E. Cheese's Pizza Time Theatre,
Catalyst Technologies.

Présentation

Je vous souhaite la bienvenue dans ce livre. Nous allons examiner ensemble les dix verrous qui entravent votre pouvoir d'innovation et nous verrons comment les faire sauter.

La plupart des idées exposées dans ce livre viennent de mon expérience de consultant en créativité. Au cours des cinq dernières années, j'ai eu l'occasion de travailler avec de nombreuses sociétés innovatrices et/ou intéressantes, parmi lesquelles Amdahl, American Electronics Association, Apple Computer, Applied Materials, ARCO, California CPA Foundation, Chuck E. Cheese's, Colgate Palmolive, Cutter Labs, Dupont, Federal Reserve Bank, FMC, General Electric, GTE, Getty Oil, Hewlett-Packard, Hughes Aircraft, IBM, ITT,

Kaiser, Lockheed, la NASA, ROLM, Sears, Tandem Computers, Tektronix, Varian, Wells Fargo Bank, Westinghouse et Xerox. J'ai travaillé avec des cadres et responsables du marketing, de l'ingénierie, du traitement des données, de la finance, de recherche et développement, de la télévision et de la vente au détail, et ai été amené à explorer des sujets aussi provocants que :

☞ Comment motiver le service fiscal d'une grande société dans le sens d'une plus grande agressivité vis-à-vis du gouvernement fédéral ?

☞ De quoi aura l'air la « cuisine du futur » ?

☞ Comment peut-on augmenter l'efficacité des cellules photovoltaïques ?

☞ Quelle politique marketing doit appliquer une société de produits pharmaceutiques pour augmenter son chiffre d'affaires de 70 % dans les deux années à venir.

☞ Comment les réalisateurs d'une émission quotidienne de variétés télévisée doivent-ils s'y prendre pour trouver sans cesse de nouvelles idées ?

☞ Comment une société qui a eu une croissance de 5 000 % au cours des cinq dernières années peut-elle conserver des conditions de travail « amusantes et innovatrices » ?

Ce livre contient des histoires, des anecdotes, des éclaircissements et des idées qui proviennent de ces ateliers et séminaires ainsi que de nombreuses idées personnelles sur ce qui peut vous rendre plus créatif.

Je souhaite remercier les personnes suivantes qui ont lu ce livre alors qu'il n'était encore qu'un manuscrit et m'ont offert leurs idées et suggestions : Doug King, Peter Borden, Doug Modlin, Scott Love, Bob Metcalfe, et Lance Shaw.

Je voudrais aussi remercier les personnes qui m'ont apporté leur aide et leur soutien au cours des dernières années : Wiley Caldwell, Bill Ghormley, Nick Zirpolo, Don Stoll, Carroll Skow, Jerome Lawrence, Bob Rogers, Jean Caldwell, Ed Hodges, Howard Mikesell, Jack Grimes, Joe Shepela, et Bob Metcalfe.

Tous mes remerciements à George Willett pour ses illustrations.

Et surtout, je remercie ma femme (et meilleure amie) Wendy pour ses idées, son encouragement, et pour sa mise au point du système de traitement de texte sur notre ordinateur.

Roger von Oech
Menlo Park, Californie
1982.

Introduction
OUVRIR LES VERROUS

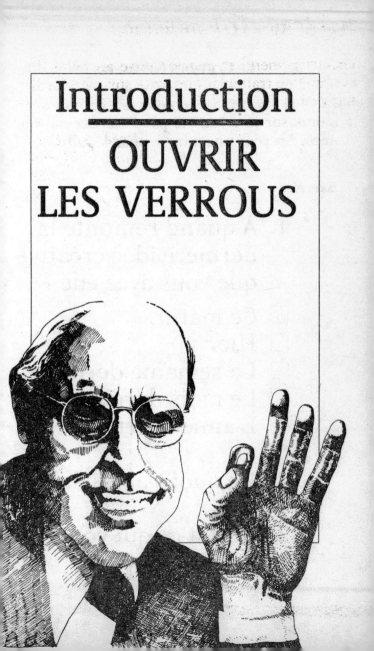

LE COÏT DES NEURONES

J'ai l'habitude de commencer mes séminaires sur la créativité par l'exercice suivant. Accordez-vous une minute pour le faire.

Exercice :

1. À quand remonte la dernière idée créative que vous ayez eue ?

☐ Ce matin
☐ Hier
☐ La semaine dernière
☐ Le mois dernier
☐ L'année dernière

2. De quoi s'agissait-il ?

3. Qu'est-ce qui vous motive pour être créatif ?

En général, j'obtiens des réponses du type :
« J'ai trouvé un moyen pour déplomber un
logiciel protégé » ; « J'ai découvert un moyen
de vendre un nouveau procédé à un client difficile » ; « J'ai réussi à motiver un subordonné
cynique » ; ou encore : « J'ai décoré la salle de
séjour dans une autre teinte. »

    Récemment, j'ai rencontré un homme qui
m'a dit que sa dernière idée créative remontait
à l'année dernière. Je me rappelle m'être dit :
« Ça a vraiment dû être une sacrée idée pour

avoir éclipsé toute autre idée de l'année en cours. » Je lui ai alors demandé ce dont il s'agissait. Il m'a répondu : « J'ai trouvé un chemin plus rapide pour rentrer du bureau à la maison. »

Je crois que ce monsieur n'était pas particulièrement motivé. Il avait l'air de dire : « Tout va à merveille, et, il n'y a pas de raison de dévier de ce qui a si bien marché jusqu'ici. » Mais il m'inspira la question suivante : « Pourquoi être créatif ? »

Deux raisons principales me viennent à l'esprit.

La première est le changement. Quand de nouvelles informations nous parviennent et que les circonstances changent, il n'est plus possible d'apporter aux problèmes d'aujourd'hui les solutions d'hier. Les gens se rendent compte de plus en plus que ce qui a fonctionné hier, ne fonctionnera plus demain. Cela les place devant un choix. Soit ils déplorent le fait que les choses ne sont plus aussi faciles qu'autrefois, soit ils utilisent leurs capacités créatives pour trouver de nouvelles réponses, de nouvelles solutions, et de nouvelles idées.

La deuxième raison qui pousse à générer de nouvelles idées, c'est que c'est extrêmement amusant. Pour moi, générer une pensée créative, c'est un peu une jouissance mentale. Les idées, comme les organismes, ont un cycle de vie. Elles naissent, se développent, parviennent à maturité et meurent. Nous avons donc besoin d'un moyen de générer des idées nouvelles. Ce moyen, c'est la pensée créative, et, comme son équivalent biologique, elle est aussi très agréable.

Qu'est-ce que la Pensée Créative ?

J'ai demandé une fois à Carl Ally (le fondateur d'Ally & Gargano, une des agences de publicité les plus créatives de Madison Avenue), ce qui faisait fonctionner un créatif. Ally m'a répondu : « Le créatif veut être un je-sais-tout. Il veut connaître toutes sortes de choses : l'histoire ancienne, les mathématiques du XIXe siècle, les procédés industriels actuels, l'art de faire des bouquets et l'avenir du cochon. Car il ne sait jamais quand ces idées pourront être rassemblées pour constituer une nouvelle idée. Cela peut arriver six minutes, six mois ou six ans plus tard. Mais il croit fermement que cela arrivera. »

Je suis entièrement d'accord avec Ally. Le savoir est la chose dont sont faites les idées nouvelles. Néanmoins, le savoir seul ne peut rendre une personne créative. Nous avons tous connu des gens qui savaient beaucoup de choses mais étaient dépourvus de toute créativité. Leur savoir restait enterré dans leur tête parce qu'ils ne réfléchissaient pas à de nouvelles manières d'utiliser ces connaissances. C'est là que réside la vraie clef de la créativité, dans la façon d'utiliser ce que nous savons. Pour s'exprimer, la pensée créative requiert une attitude ou un point de vue qui permette de rechercher des idées et de manipuler nos connaissances et notre expérience. C'est ce point de vue qui vous fait essayer plusieurs approches, une première, puis une autre, souvent sans grand succès. Vous utilisez des idées absurdes, folles, irréalisables comme autant de marches qui vous mèneront à de nouvelles idées pratiques. Il faut de temps en temps s'écarter des règles et aller chercher des idées dans des endroits totalement inhabituels. En résumé, en adoptant un point de vue créatif, vous vous ouvrez à la fois à des possibilités nouvelles et à une transformation profonde.

Johannes Gutenberg est l'exemple parfait de l'individu qui adopte cette attitude. Il combina deux idées qui n'avaient auparavant aucun lien, le pressoir à vin et l'étampe à monnaie, pour créer une nouvelle idée. L'étampe avait pour objet d'imprimer une image sur une petite surface, en l'occurrence une pièce d'or. Le pressoir à vin avait, et a toujours pour fonction, d'exercer une pression sur une grande surface afin d'exprimer le jus du raisin. Un jour, peut-être après avoir bu un ou deux verres de vin, Gutenberg se demanda avec amusement : « Et si je prenais un tas de ces étampes et les utilisais avec une force équivalente à celle d'un pressoir à vin afin qu'elles impriment leur image sur du papier ? » Le résultat de cette combinaison fut la presse à imprimer et le caractère mobile.

Un autre exemple nous est donné par Nolan Bushnell. En 1971, Bushnell jeta un œil sur sa télévision et se dit : « Ça ne me suffit pas de seulement regarder la télévision ; je veux jouer avec et faire en sorte qu'elle me réponde. » Peu après, il créa « Pong », le jeu de ping-pong interactif qui déclencha la révolution des jeux vidéo.

Un dernier exemple est celui de Picasso. Un jour, Picasso sortit de chez lui et trouva une vieille bicyclette. Il la regarda quelques instants, puis enleva le siège et le guidon. Ensuite, il les souda ensemble et en fit la tête d'un taureau.

Chacun de ces exemples illustre le pouvoir qu'a un esprit créatif pour transformer une chose en une autre. En changeant de perspective et en jouant avec nos connaissances et notre expérience, nous pouvons rendre l'ordinaire extraordinaire et l'inhabituel un lieu commun. Ainsi les pressoirs à vin expriment l'information, les postes de télévision deviennent des machines à jeu, et les sièges de bicyclettes des têtes de taureau. Pour employer la belle expression d'Albert Szentgyörgyi, le physicien lauréat du prix Nobel :

Découvrir, c'est voir la même chose que tout le monde et penser autrement.

Ainsi, si vous voulez être plus créatif, il vous suffit de regarder la même chose que les autres et penser différemment.

LES VERROUS

Pourquoi ne nous arrive-t-il pas plus souvent de « penser autrement » ? Il y a deux raisons principales. La première est que nous n'avons pas besoin d'être créatif pour la plupart des choses que nous faisons. Par exemple, nous n'avons pas besoin d'être créatif pour conduire sur l'autoroute, ou prendre un ascenseur, ou faire la queue à la caisse d'un supermarché. Pour faire face à la vie de tous les jours, nous avons mis au point des routines qui nous guident dans notre parcours quotidien — depuis le classement de la paperasse, jusqu'au laçage des chaussures.

Ces routines sont indispensables à la grande majorité de nos activités. Sans elles, notre vie serait chaotique et particulièrement inefficace en termes de résultats. Par exemple, si vous vous leviez le matin, et commenciez à contempler les poils de votre brosse à dents ou à vous interroger sur le pourquoi de vos tartines de pain, vous n'arriveriez sûrement pas à l'heure au bureau. Ainsi, le fait de s'en tenir à des routines mentales nous permet de réaliser une multitude de choses indispensables, sans avoir à même y penser.

Cependant, il vous est parfois nécessaire d'être créatif et de concevoir de nouveaux moyens d'atteindre vos objectifs. Dans ces circonstances, votre propre système de pensée pourra se révéler un obstacle. Ceci nous conduit à la deuxième raison pour laquelle nous ne pensons pas différemment plus souvent. La plupart d'entre nous ont des attitudes qui cloisonnent nos raisonnements dans un *statu quo* et font que l'on pense toujours de la même manière. Ces attitudes sont nécessaires pour la plus grande partie de ce que nous faisons, mais peuvent être gênantes lorsqu'il s'agit d'être créatif.

J'appellerai ces attitudes des « verrous ». Il y en a dix notamment, dont j'ai découvert qu'ils comportaient des risques réels pour notre façon de penser. Ils sont énumérés à la page suivante.

Comme vous pouvez l'imaginer, vous aurez du mal à laisser votre créativité s'exprimer, si vous êtes constamment un esprit pratique, respectueux des règles, si vous avez peur de commettre des erreurs, si vous ne vous intéressez pas à d'autres domaines, ou si vous êtes sous l'emprise d'autres « verrous ».

1. LA BONNE RÉPONSE

2. CE N'EST PAS LOGIQUE

3. SUIVEZ LES RÈGLES

4. AYEZ LE SENS PRATIQUE

5. ÉVITEZ L'AMBIGUÏTÉ

6. IL NE FAUT PAS SE TROMPER

7. JOUER C'EST PAS SÉRIEUX

8. JE N'Y CONNAIS RIEN

9. ARRÊTEZ DE DÉCONNER

10. JE NE SUIS PAS CRÉATIF

OUVREZ LES VERROUS !

Alors, comment faire pour ouvrir ces verrous ? L'histoire suivante nous fournit une réponse possible.

Un Maître Zen invita l'un de ses disciples à venir prendre le thé chez lui. Ils parlèrent un bon moment, puis le moment vint de prendre le thé. Le Maître versa le thé dans la tasse de l'élève. Une fois la tasse remplie, il continua de verser. Le thé déborda et coula par terre.

L'élève finit par dire : « Maître, il vous faut arrêter de verser ; le thé déborde — il ne va plus dans la tasse. »

Le Maître répliqua : « C'est très observateur de votre part. Et il en va de même avec vous. Si vous souhaitez recevoir un enseignement de moi, il vous faut d'abord vider le bol de votre tête. »

Moralité : Il nous faut la capacité de désapprendre ce que nous savons.

Il ressort des exemples évoqués plus haut, que Gutenberg oublia que les pressoirs à vin servent uniquement à écraser le raisin — « la bonne réponse » ; Bushnell oublia que jouer avec un poste de télévision était

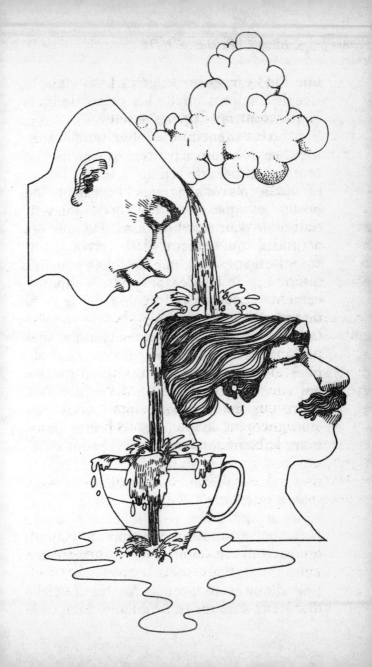

une idée « insensée » ; et Picasso viola la « règle » selon laquelle les sièges de bicyclettes sont faits pour s'asseoir.

Sans cette capacité d'oublier temporairement ce que nous savons, nos esprits restent encombrés de réponses toutes faites, et nous n'avons jamais l'occasion de poser les questions qui nous laissent entrevoir d'autres directions. Puisque les attitudes qui créent des verrous ont toutes été apprises, une des clefs pour les ouvrir est de les désapprendre temporairement — pour ainsi dire, de vider le « bol de notre tête ».

Cela peut sembler être une technique simple, mais elle est parfois difficile à appliquer. Nous avons souvent si bien intégré ces verrous à notre façon de penser et à notre comportement, que nous ne sommes plus conscients du fait qu'ils nous guident totalement — ils sont devenus une seconde nature. Nous exécutons une grande partie de nos routines sans même y penser.

Nous avons donc parfois besoin d'une petite aide supplémentaire pour vaincre les verrous. Revenons-en à notre maître Zen.

Lors d'une autre leçon, le Maître et l'élève discutent d'un autre problème. Malgré le long échange de points de vue, l'élève ne comprend pas où le Maître veut en venir. Ce dernier saisit alors un bâton et assène un bon coup sur la tête de l'élève. Soudain, l'élève commence à comprendre la situation et à « penser différemment ».

Moralité : Parfois, il ne faut rien de moins qu'un coup sur la tête pour bousculer les présomptions qui font que l'on pense toujours « de la même manière ».

LE COUP SUR LA TÊTE

Comme l'élève, il nous arrive à tous d'avoir besoin d'un bon choc pour nous faire sortir de notre mode de vie routinier, pour nous forcer à reconsidérer nos problèmes, et nous inciter à poser les nouvelles questions qui mèneront peut-être à d'autres bonnes réponses.

Les « chocs » revêtent toutes sortes de formes, de tailles, et de couleurs. Ils ont toutefois une chose en commun. Ils vous forcent — au moins sur le moment — à penser différemment. Vous pourrez être « frappé » par un problème ou un échec ; ce sera parfois aussi le résultat d'une plaisanterie ou d'un paradoxe ; il vous arrivera aussi d'être « frappé » par une surprise ou une situation inattendue. Voici quelques exemples de situations qui peuvent nous « sonner » :

☞ Ce peut être la conséquence d'un licenciement inattendu ou l'échec à obtenir une augmentation.

☞ Cela peut survenir au moment où vous essayez de trouver un nom pour votre petit chien, et que votre enfant de trois ans vous dit : « Appelons-le " Quatre heures ". »

☞ Cela peut arriver quand, après avoir passé deux heures à essayer de résoudre un problème, vous posez une question qui va à l'encontre de votre première approche et vous apporte la solution.

☞ Cela peut venir quand vous regardez un dessin humoristique où l'on voit un homme assis dans sa salle de séjour sous un panneau disant : « Fais gaffe où tu mets les pieds », tandis que le sol est couvert de porcs-épics.

☞ Cela peut arriver quand vous établissez un lien entre deux choses que vous croyiez jusqu'ici indépendantes, telles l'image d'une galaxie et un patineur sur glace qui tourne sur lui-même.

☞ Ce peut être le résultat d'un voyage dans un autre pays, l'Angleterre par exemple, où vous serez forcé de conduire sur le côté gauche de la route.

☞ Parfois, vous serez « frappé » par une déclaration paradoxale telle que : « Un problème résolu est aussi utile à l'esprit humain qu'une épée brisée sur un champ de bataille. »

☞ Cela peut survenir si vous vous cassez la jambe et que vous vous apercevez à quel point vous preniez vos habitudes ambulatoires pour quelque chose d'acquis.

☞ Cela peut arriver quand quelqu'un attire votre attention sur quelque chose à laquelle vous ne pensez pas habituellement, par exemple pourquoi tant de voitures ont deux clefs — une pour la portière et l'autre pour le contact — et vous en demande la raison.

☞ Cela peut arriver quand vous découvrez que le boutonneux de la classe au lycée est devenu milliardaire en spéculant sur le marché des matières premières.

☞ Cela pourrait être une question à laquelle vous n'avez jamais pensé telle que :
« Si les chameaux sont appelés les " vaisseaux du désert ", pourquoi les remorqueurs ne sont-ils pas les " chameaux de la mer " ? »
« Si nous appelons " oranges " les oranges, pourquoi ne pas appeler les bananes " jaunes " et les pommes " rouges " ? »

☞ Cela peut venir quand quelqu'un vous offre des fleurs sans raison.

☞ Ou encore, vous serez « frappé » quand en entrant dans une pièce vous découvrirez que la disposition des meubles a complètement changé.

☞ Cela pourrait être une lettre de votre premier amour.

☞ Ce pourrait être une plaisanterie :

Q : Que fait Beethoven à présent ?
R : Il décompose.

☞ Ou cela pourrait survenir quand vous assistez au lever du soleil après être resté debout toute la nuit.

Donc, ces idées et ces situations qui nous conduisent à sortir de notre routine et à penser différemment, sont autant de « chocs » dans notre manière de penser.

Parfois, un bon coup sur la tête sera la meilleure chose qui puisse vous arriver. Car cela peut vous aider à déceler un problème potentiel avant qu'il ne se pose ; à découvrir une possibilité qui n'était pas jusqu'ici apparente ou encore, à concevoir des idées nouvelles.

Thomas Edison illustre bien les avantages que l'on peut en tirer. Dans sa jeunesse, il porta toute son attention à perfectionner le télégraphe. Il inventa le télégraphe multiplex, le téléscripteur (une variante du télégraphe), et mit au point d'autres innovations télégraphiques. Puis, au début des années 1870, le financier Jay Gould racheta le système télégraphique de Western Union, s'attribuant ainsi un monopole sur l'industrie. Edison prit conscience que tant que la société appartiendrait à Gould, on ne lui demanderait plus de développer ses recherches sur le télégraphe. Ce « coup » lui fit ouvrir les yeux et le força à rechercher les moyens de déployer son talent dans d'autres domaines que le télégraphe. En l'espace de quelques années, il inventa l'ampoule, la centrale électrique, le phonographe, le projecteur cinématographique, et bien d'autres choses encore. On peut supposer qu'il eût fait de toute façon toutes ces découvertes, mais Gould le poussa sans aucun doute à rechercher la deuxième bonne réponse.

CONCLUSION

Nous n'avons pas besoin d'être créatif pour la plupart des choses que nous faisons, mais lorsqu'il devient nécessaire de « penser différemment », nos propres attitudes peuvent constituer une entrave. Ces attitudes sont pour moi des verrous.

Les verrous peuvent être ouverts de l'une des deux façons suivantes. La première technique consiste à en être conscient et ensuite à les oublier temporairement quand vous essayez d'engendrer des idées. Si cela ne marche pas, peut-être avez-vous besoin « d'un bon coup sur la tête ». Cela devrait déloger les présupposés qui maintiennent les verrous en place.

Dans la suite de ce livre nous étudierons chacun de ces verrous et découvrirons quelle sorte d'idées on peut générer en les ouvrant temporairement. Nous étudierons également quelques techniques pour secouer notre manière de penser. Ce faisant, nous ferons connaissance avec quelques personnages intéressants qui sont autant de « frappeurs » notoires : révolutionnaires, artistes, poètes, magiciens, chasseurs, imbéciles et innovateurs sûrs de leurs capacités.

Et roulez jeunesse !

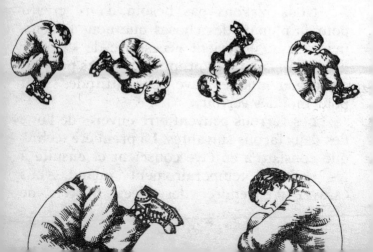

1
"LA BONNE RÉPONSE"

Exercice :
Parmi les cinq figures géométriques ci-des-sous, choisissez celle qui est différente de toutes les autres.

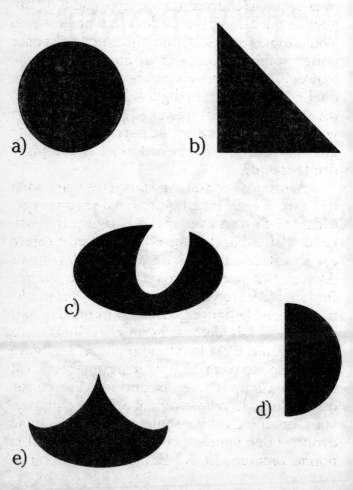

a)

b)

c)

d)

e)

APPRENDRE À PENSER

Où apprenez-vous à penser ? L'une des principales sources est l'instruction que vous avez reçue. L'éducation vous apprend à distinguer ce qui est approprié de ce qui ne l'est pas. Vous apprenez les bonnes questions à poser pour sonder votre environnement. Vous apprenez où aller rechercher l'information, quelles sont les idées dignes d'intérêt, et comment y réagir. En résumé, votre éducation vous pourvoit d'une bonne partie des concepts que vous utiliserez pour ordonner et comprendre le monde.

À propos, comment vous êtes-vous sorti de l'exercice sur les cinq figures de la page précédente ? Si vous avez choisi la figure B, félicitations ! C'est la bonne réponse ; cette figure est en effet la seule à n'avoir que des lignes droites. Buvez donc un verre à votre succès ! Certains d'entre vous, toutefois, ont probablement choisi la figure C en pensant qu'elle était unique du fait de son asymétrie. Vous avez aussi raison ! C'est la bonne réponse. La figure A ne manque pas non plus d'arguments : c'est la seule à ne pas être discontinue. Par conséquent, A est la bonne réponse. Et que pensez-vous de D ? C'est la seule qui ait une ligne droite et une ligne courbe. Donc D est aussi la bonne réponse. Et E ? Entre autres, E est la seule figure qui ressemble à la projection d'un triangle non-Euclidien dans un espace Euclidien. C'est aussi la bonne réponse. Autrement dit, elles sont toutes bonnes selon le point de vue que vous adoptez.

Notre système éducatif, pourtant, est surtout conçu de manière à amener les gens à rechercher *la bonne réponse*. À la fin de ses études supérieures, le quidam moyen aura passé plus de 2 600 tests, interrogations et examens — dont beaucoup se rapprochent de celui que vous venez de faire. Ainsi, l'approche de « la *bonne réponse* » est profondément ancrée dans notre pensée. Ceci peut s'avérer parfait pour résoudre certains problèmes mathématiques où il n'y a en fait qu'une seule bonne réponse. Mais la difficulté réside en ce que la vie ne se présente pas toujours sous cet angle. La vie est quelque chose d'ambigu ; il y a de nombreuses bonnes réponses ; tout dépend de ce que vous recherchez. Mais si vous persistez à penser qu'il n'existe qu'une seule bonne réponse, vous cesserez de chercher dès lors que vous en aurez trouvé une.

LA MARQUE SUR LE TABLEAU NOIR

Quand j'étais en sixième, mon professeur fit avec une craie une petite marque comme celle-ci sur le tableau.

Il demanda à la classe ce que c'était. Après un petit moment quelqu'un dit : « Une marque à la craie sur le tableau ». Le reste de la classe sembla soulagé que la réponse évidente ait été donnée, et personne n'eut autre chose à ajouter. « Vous me surprenez », dit le professeur à la classe. « J'ai fait le même exercice hier avec un groupe du jardin d'enfants et ils l'ont interprété de cinquante manières différentes : un œil de hibou, un mégot de cigare, la pointe d'un poteau télégraphique, une étoile, un caillou, un insecte écrasé, un œuf pourri, etc. Ils ont vraiment fait fonctionner leur imagination. »

Au cours des dix années qui séparent le jardin d'enfants du lycée, nous avions non seulement appris à rechercher la bonne réponse, mais nous avions en plus perdu la faculté de rechercher plus d'une bonne réponse. Nous avions appris à être précis, mais avions perdu une bonne partie de notre pouvoir d'imagination. Comme l'a dit fort justement l'illustre éducateur Neil Postman : « Les enfants entrent à l'école avec un point d'interrogation et en sortent avec un point final. »

LE CALIFE

Ces exemples de *bonne réponse* me rappellent l'histoire du Calife.

Deux hommes se disputaient. Pour régler leur contentieux, ils eurent recours à l'arbitrage d'un Calife. Le demandeur présenta ses arguments. Il se montra très éloquent et très persuasif. Quand il eut terminé, le Calife fit un signe d'approbation de la tête et dit : « C'est juste, c'est juste. »

En entendant cela, le défenseur sursauta et dit : « Un instant, Calife, vous n'avez

C'EST JUSTE   C'EST JUSTE

même pas entendu ma version de l'affaire. » Le Calife lui demanda donc de présenter ses arguments. Et lui aussi, fut très persuasif et éloquent. Quand il eut terminé, le Calife dit : « C'est juste, c'est juste. »

Quand le greffier du tribunal entendit cela, il sursauta et dit : « Calife, ils ne peuvent tous deux avoir raison. » Le Calife regarda le greffier et dit : « C'est juste, c'est juste. »

Moralité : La vérité est partout autour de vous ; ce qui importe, c'est là où vous portez votre regard.

CONSÉQUENCES

La pratique qui consiste à rechercher *la bonne réponse* peut avoir des conséquences sérieuses sur la manière dont nous pensons et dont nous affrontons les problèmes. La plupart des gens n'aiment pas les problèmes et quand ils y sont confrontés, ils réagissent en général en prenant la première issue qui leur vient à l'esprit. Je ne soulignerai jamais assez le danger d'une telle attitude. Si vous n'avez qu'une idée, vous vous limitez forcément à une seule conduite possible, ce qui est extrêmement risqué dans un monde où, pour survivre, il faut savoir faire preuve de flexibilité.

Une idée, c'est un peu comme une note de musique. De la même façon qu'une note de musique ne peut être comprise que dans sa relation avec d'autres notes (soit comme partie d'un trait de mélodie, soit comme un accord), une idée, pour être évaluée au mieux, doit s'inscrire dans un ensemble d'autres idées. Ainsi, si vous n'avez qu'une seule idée, vous êtes incapable de la comparer à quoi que ce soit. Vous ne connaissez ni ses points forts, ni ses faiblesses. Le philosophe Émile Chartier a tapé dans le mille lorsqu'il dit :

« Rien n'est plus dangereux qu'une idée quand c'est la seule que vous avez. »

Pour rendre notre pensée plus efficace, nous avons besoin de points de vue différents.

LA DEUXIÈME BONNE RÉPONSE

Il n'y a pas si longtemps, j'ai animé une série de séminaires sur la pensée créative à destination des cadres d'une grande entreprise industrielle. Le Président avait fait appel à moi parce qu'il était préoccupé par la créativité des cadres supérieurs de la société.

Il semblait qu'à chaque fois que ses subordonnés avaient une proposition à faire, c'est exactement ce qu'ils faisaient : avancer une proposition et une seule ; ils n'offraient jamais d'alternative. Comme ils avaient été formés à rechercher la bonne réponse, ils n'allaient généralement pas au-delà de la première qu'ils trouvaient. Le Président savait qu'il était plus facile de prendre les bonnes décisions dès lors qu'un choix d'idées s'offrait à lui. Il était également préoccupé de l'esprit conservateur qui régnait chez ses cadres, du fait de cette tendance à ne proposer qu'une idée. Lorsque quelqu'un ne proposait qu'une seule idée, il présentait invariablement la plus prudente plutôt que de s'aventurer dans une direction moins évidente, mais plus originale.

Cet état de choses créait un climat peu propice à la conception d'idées innovatrices.

J'expliquai aux participants qu'une façon d'être plus créatif est « de rechercher la deuxième bonne réponse ». C'est souvent la

deuxième bonne réponse qui, bien qu'originale ou inhabituelle, est exactement celle dont
vous avez besoin pour résoudre un problème
en faisant preuve d'innovation.

Une bonne technique pour trouver la
deuxième bonne réponse consiste à changer
les questions que vous posez pour décortiquer
un problème. Par exemple, combien de fois
avez-vous entendu dire : « Quelle est la
réponse ? » ou : « Quelle est la signification de
ceci ? » ou : « Quel est le résultat ? ». Ces personnes recherchent *la* réponse, *la* signification, et *le* résultat. Si vous vous habituez à
demander : « Quelles sont les réponses ? »,
« Quelles sont les significations ? », ou encore
« Quels sont les résultats ? », vous verrez que
les gens vont commencer à réfléchir un peu
plus en profondeur et à avoir plus d'une idée à
proposer.

Une autre technique pour augmenter le
nombre de réponses consiste à changer la formulation de vos questions. Voici un exemple
qui illustre de quelle manière une telle stratégie peut fonctionner.

Il y a plusieurs siècles, une épidémie de
peste étrange, mais mortelle, frappa un petit
village de Lituanie. Ce qui était curieux dans
cette maladie, c'était ses effets : lorsqu'une victime était atteinte, elle sombrait dans un
coma très profond. La plupart des individus

mouraient dans les vingt-quatre heures, mais il arrivait qu'une âme de forte nature retrouvât la santé. Le problème était que les faibles connaissances médicales du début du XVIIIᵉ siècle ne permettaient pas aux personnes saines de distinguer si une victime était morte ou vivante. Ce qui avait en fait peu d'importance, puisque la plupart de ceux qu'on enterrait étaient bien morts.

Puis un jour, on découvrit que quelqu'un avait été enterré vivant. Ceci alarma les habitants de la ville, et ils convoquèrent une réunion pour débattre de ce qui devrait être fait pour empêcher cette situation de se reproduire. Après de longues discussions, la plupart s'accordèrent sur la solution suivante : il fut décidé de placer dans le cercueil, près du corps, de la nourriture et de l'eau. De plus, un conduit d'aération relierait le cercueil à la surface. Ces procédés seraient coûteux mais grandement justifiés s'ils pouvaient sauver des vies.

C'est alors qu'un autre groupe présenta une deuxième réponse, moins coûteuse. Ils proposèrent de fixer un pieu de trente centimètres de long à l'intérieur du couvercle de chaque cercueil, juste au-dessus du cœur de la victime. Ensuite quels que puissent être les doutes sur l'état de vie ou de mort de la personne au moment de la mise en bière, ceux-ci disparaîtraient dès la fermeture du cercueil.

Ce qui différenciait les deux solutions, c'étaient les questions qui avaient été posées. Alors que le premier groupe se demandait : « Que devrions-nous faire pour le cas où quelqu'un serait enterré *vivant*? », le second groupe se demandait : « Comment pouvons-nous nous assurer que tous ceux que nous enterrons sont bien *morts*? »

Il y a bon nombre d'autres façons de rechercher la seconde bonne réponse — en demandant : « Et si... ? », en faisant l'imbécile, en renversant le problème, en violant les règles établies, etc. C'est le sujet principal de ce livre. Ce qui importe cependant, c'est de rechercher la seconde bonne réponse, car si vous ne le faites pas, vous avez peu de chances de la trouver.

CONCLUSION

Notre système éducatif nous a essentiellement appris à rechercher *la seule bonne réponse*. Cette approche est parfaite pour certaines situations, mais bon nombre d'entre nous ont tendance à arrêter de rechercher des alternatives dès lors qu'une idée a été trouvée. C'est dommage, car nous avons souvent besoin d'une deuxième, voire d'une dixième bonne réponse pour résoudre un problème en faisant preuve d'innovation.

□ *conseil n° 1*

Une bonne façon d'être plus créatif est de rechercher la seconde bonne réponse. Il y a de nombreuses manières d'y arriver, mais l'important est de le faire. La vraie idée créative est souvent à portée de main.

□ *conseil n° 2*

Les réponses que vous obtenez dépendent des questions que vous posez. Jouez avec votre formulation pour obtenir des réponses différentes. Une méthode consiste à solliciter des réponses multiples. Une autre consiste à poser des questions qui frappent l'esprit. Une femme m'a raconté que son patron la forçait à garder l'esprit vigilant en posant des questions du type : « Énumérez trois choses sur lesquelles vous n'avez aucune opinion. »

2
"CE N'EST PAS LOGIQUE"

Exercice :

Prenez une feuille de papier vierge et séparez-la en deux par une ligne verticale. En haut à gauche, écrivez le mot *flou*, et en face à droite inscrivez le mot *net*. À présent, prenez un moment pour examiner les concepts ci-dessous. Inscrivez ceux que vous associez à ce qui est flou ou net dans leur colonne respective. C'est un exercice totalement subjectif, mais vous devriez pouvoir dissocier ce qui est flou de ce qui est net.

Logique
Métaphore
Rêve
Raison
Précision
Humour
Constance
Ambiguïté
Jeu
Travail

Exact
Approximatif
Direct
Réalité
Paradoxe
Diffus
Analyse
Intuition
Généralisation
Spécifique
Enfant
Adulte

À présent, prenez le temps de réfléchir à la question suivante : Quels critères avez-vous utilisés pour constituer votre liste *Net* et votre liste *Flou* ? L'objectif contre le subjectif ? Le quantitatif contre le qualitatif ? Le masculin contre le féminin ?

Net et Flou

Vous en êtes probablement à vous demander le but de cet exercice. Eh bien, la différence entre net et flou m'a aidé à résoudre un problème. Il n'y a pas si longtemps, j'ai veillé assez tard en essayant de lister les différents types de pensée qui existent. En voici une liste non exhaustive.

Pensée logique	Pensée poétique
Pensée conceptuelle	Pensée non verbale
Pensée analytique	Pensée elliptique
Pensée spéculative	Pensée analogique
Pensée critique	Pensée lyrique
Pensée déconnante	Pensée pratique
Pensée divergente	Pensée embryonnaire
Pensée convergente	Pensée ambiguë
Pensée visuelle	Pensée constructive
Pensée symbolique	Pensée sur la pensée
Pensée de déduction	Pensée surréaliste
Pensée arithmétique	Pensée concentrée
Pensée métaphorique	Pensée concrète
Pensée mythique	Pensée fantaisiste

J'ai dû penser à près de cent façons différentes de penser. Puis je me suis posé la question : « Comment puis-je les ordonner ? Quelles sont leurs caractéristiques communes ? » J'ai réfléchi longuement à ces questions mais en suis sorti bredouille. J'allais me coucher quand les mots de Kenneth Boulding me sont venus à l'esprit. Boulding est économiste de profession, mais il est surtout un étudiant de la vie. D'après lui :

Il y a deux sortes de personnes ici-bas : Ceux qui divisent tout en deux groupes, et ceux qui ne le font pas.

À ce moment précis, je me sentais membre du premier groupe. Je me dis : « Pourquoi ne pas appliquer cette conception binaire aux différents types de pensée en les divisant en deux groupes. » Mais quels pourraient être les critères de différenciation ? Je pensais aux contraires : bien/mal, fort/faible, intérieur/extérieur, grand/petit, masculin/féminin, vivant/mort, etc., pourtant aucun n'exprimait vraiment ce que je recherchais. Puis l'idée me vint : pourquoi pas flou et net ?

Si vous raisonnez comme la plupart des gens, votre liste doit être très proche de celle-ci :

Flou	Net
Métaphore	Logique
Rêve	Raison
Humour	Précision
Ambiguïté	Constance
Jeu	Travail
Approximatif	Exact
Paradoxe	Réalité
Diffus	Direct
Intuition	Analyse
Généralisation	Spécifique
Enfant	Adulte

Comme vous pouvez le remarquer, les concepts qui figurent dans la colonne *net* ont une réponse précise, bonne ou mauvaise, alors que dans la colonne *flou* plusieurs réponses bonnes sont possibles. Du côté *net*, les choses sont noires ou blanches ; du côté *flou*, il y a de nombreuses nuances de gris. Certains d'entre vous feront remarquer que l'on peut « saisir » les éléments de la colonne *net* — comme une barre de métal ; les choses *floues* sont plus difficiles à saisir — comme l'est une poignée d'eau.
— comme l'est une poignée d'eau.

Les mots qui figurent dans la colonne *flou* sont une illustration de ce que peut être la *pensée floue*, métaphorique, approximative, diffuse, humoristique, ludique, et peut prendre en compte la contradiction.

La pensée nette, par contre, a tendance à être plus logique, précise, exacte, spécifique et consistante. On pourrait comparer la *pensée nette* au rayon de lumière d'un projecteur. Il est large, net et intense, mais le champ de vision est étroit.

La *pensée floue* fait penser à la lumière issue d'un feu de bois. Elle est plus diffuse, moins intense, mais couvre un plus grand champ.

La *pensée floue* tente de rechercher les similitudes et les rapports entre les choses, tandis que la *pensée nette* se concentre sur leurs différences. Par exemple, un penseur *flou* pourrait dire qu'un chat et un réfrigéra- teur ont de nombreux points communs, puis énumérer les similitudes (« Ils ont tous deux un endroit pour ranger le poisson » ; « ils ron-

ronnent tous les deux » ; « ils offrent tous deux un choix de couleurs », etc.). Le penseur *net* montrerait que le chat et le réfrigérateur sont deux espèces différentes.

Une personne qui a tendance à penser *flou* pourrait poser une question telle que : « De quoi aurait l'air les meubles si nos genoux se pliaient dans l'autre sens ? » Le penseur *net* dirait : « Quelle matière devrait-on utiliser pour optimiser la rentabilité de cette nouvelle gamme de chaises ? »

LE PROCESSUS CRÉATIF

Dans quels domaines utilisons-nous respectivement les *pensées nettes* et les *pensées floues*? Pour répondre à cette question, il convient de nous pencher sur le processus créatif. Il existe deux phases principales dans le développement des nouvelles idées : une phase *embryonnaire* et une phase *pratique.*

Dans la phase embryonnaire, les idées sont conçues et manipulées; dans la phase pratique, elles sont évaluées et mises à exécution. Pour employer une métaphore biologique, la phase embryonnaire fait germer les nouvelles idées et la phase pratique les récolte.

Les deux types de pensées jouent un rôle essentiel dans le processus créatif, mais généralement au cours de phases différentes. La *pensée floue* est plutôt en action au cours de la phase embryonnaire quand vous recherchez de nouvelles idées, que vous pensez globalement, et que vous manipulez les problèmes. La *pensée nette,* par contre, est mieux utilisée au cours de la phase pratique quand vous évaluez les idées, que vous vous concentrez sur des solutions pratiques, analysez les risques et vous préparez à mettre l'idée en application.

Les deux éléments de la pensée sont donc nécessaires mais interviennent à des moments différents.

Bien que les *pensées floues* et *nettes* aient chacune leurs forces respectives, elles ont également leurs faiblesses. Il est donc important de savoir quand chacune n'est pas opportune. Penser *flou* au cours de la phase pratique peut empêcher la réalisation d'une idée ; là, fermeté et franchise sont préférables à rêves et ambiguïté. Réciproquement, penser pratique dans la phase embryonnaire peut limiter le processus créatif.

La logique et l'analyse sont des outils importants, mais il faut éviter tout recours excessif à elles — surtout au début du processus créatif — car elles peuvent restreindre prématurément votre champ de pensée.

CE N'EST PAS LOGIQUE

Le premier et suprême chapitre de la logique traditionnelle est la loi de non-contradiction. La logique n'englobe que ce qui est de nature cohérente et non contradictoire. Ceci serait parfait si l'essentiel de la vie n'était ambigu ; l'incohérence et la contradiction sont le sceau de la vie humaine. En conséquence, le nombre de choses qui peuvent être l'objet d'une pensée logique est limité, et accorder trop d'importance à la méthode logique peut entraver l'esprit d'exploration.

Certains, cependant ont rarement recours à la *pensée floue*. Leur sentiment peut être résumé en ces termes : « Ce n'est pas logique. » Confrontés à un problème, ils font immédiatement appel à leurs stratégies de *pensée nette*. Ils disent : « Allons au cœur du problème. » Ils ne cherchent jamais à aller aux poumons du problème, à la rate du problème, aux reins du problème, etc. Si vous pensez *flou* au début du processus créatif, non seulement vous irez certainement au « cœur du problème », mais en plus, vous aurez fait le tour de toutes les alternatives.

Notre système d'éducation fait un assez bon travail en développant des compétences de *pensée nette*, mais ne fait pas grand-chose pour aider à développer une *pensée floue*. En fait, notre éducation est essentiellement orientée vers l'élimination de la *pensée floue*, ou au mieux, nous apprend à la considérer comme un moyen de moindre importance. L'intelligence humaine est un phénomène complexe, et cependant presque toutes les notions formelles de l'intelligence sont fondées sur la logique et l'analyse — les tests de QI en sont un exemple flagrant. Le talent musical, la décoration, la peinture et la cuisine semblent n'avoir aucune place dans la conception des tests portant sur l'intelligence. Comme le remarque Edward de Bono, si quelqu'un dit avoir appris à penser, la plupart des gens présument qu'il a appris à penser de manière logique.

Le Modèle Informatique

Il existe une autre raison au verrou du « Ce n'est pas logique ». En tant que chercheur, j'ai remarqué que les modèles que nous utilisions pour comprendre les processus mentaux reflétaient la technologie de notre époque. Par exemple, au XVIIIᵉ siècle, les hommes envisageaient l'esprit humain comme s'il s'agissait d'un miroir ou d'une lentille, ce qui « reflète » les progrès de l'époque effectués dans les domaines de l'optique, et de la fabrication des lentilles. Le modèle de pensée Freudien, qui prit cours au tournant du siècle, semble être fondé sur l'ubiquité de la locomotive à vapeur. Les idées et pensées s'élèvent en tourbillons du subconscient au conscient de la même manière que la vapeur passe de la chaudière à la chambre de compression. Au début du XXᵉ siècle, certains envisageaient l'esprit comme s'il s'agissait d'un vaste réseau téléphonique avec des circuits et des relais parcourant le cerveau.

Depuis vingt ans, nous avons un nouveau modèle de pensée : l'ordinateur. Ce modèle se révèle efficace pour décrire certains aspects de notre pensée. Ainsi, nous disposons de données d'entrée et de sortie, et d'un « traitement de l'information ». Citons aussi le « feedback », la « programmation » et la « mémoire ».

Le problème vient de ce que certains prennent ce modèle de pensée au pied de la lettre et pensent que l'esprit *est* réellement un ordinateur. En conséquence, il se peut qu'ils rejettent les types de pensées floues comme n'étant pas « logiques ». En réalité, j'ai même vu des partisans de ce modèle se comporter avec les autres comme s'il s'agissait de machines. Combien de fois avez-vous entendu quelqu'un dire : « Je me suis branché sur cette affaire » ou « Gérard fonctionne bien avec Henri ». La meilleure que j'aie entendu venait d'un homme qui décrivait les différentes parties d'un système informatique : « Il y a le matériel, le logiciel, les données de l'entreprise, et la matière vivante. » La matière vivante était le personnel du service informatique.

Je pense que l'esprit n'est pas seulement un ordinateur qui traite l'information, c'est aussi un musée qui met en mémoire les expériences, un dispositif qui code des hologrammes, un terrain de jeu, un muscle à renforcer, un tas de compost qui doit être retourné, un atelier dans lequel on conçoit des idées, un antagoniste que l'on doit convaincre, un chat à caresser, un labyrinthe à explorer, et bien d'autres choses encore. Il y a de nombreuses bonnes façons de modeler l'esprit — tout dépend de ce que vous considérez comme important.

L'Outil préféré de Roger : Les Métaphores

Pour combattre les dangers rigor mortis de la créativité dus à un excès de pensées nettes, j'aimerais vous présenter l'un de mes outils favoris. Je commencerai par un quiz. En faisant ce quiz, vous devez imaginer que vous êtes un poète. Ce n'est pas péjoratif ; le mot « poète » tire son origine du grec *poietes* qui ne signifiait pas seulement « poète », mais aussi « créateur ».

Exercice :
Quels points ont en commun les expressions suivantes ?

La fleur de l'âge
Une lueur d'intelligence
Le cours du temps
La chaîne alimentaire
Le fil de ses pensées

Il s'agit là de métaphores. Elles font le lien entre deux univers de signification différents, à travers quelques similitudes. Ainsi, les métaphores nous aident à comprendre une idée grâce à l'aide d'une autre idée. Ainsi, nous comprenons la fuite du temps en la comparant à l'écoulement des eaux, et l'intercorréla-

tion du processus alimentaire en le comparant à une chaîne.

L'analogie est la clef de la pensée métaphorique. En fait, notre pensée évolue ainsi ; nous comprenons ce qui nous est étranger par analogie avec ce qui nous est familier. Par exemple, comment étaient appelées les premières automobiles ? C'est cela, des « voitures sans chevaux ». Et les premières locomotives étaient des « chevaux de fer ». Nous faisons sans cesse référence aux ressemblances entre les choses. Nous disons que les marteaux ont une « tête », les tables des « pieds », les routes des « dos d'âne » et les tapis des « poils ». Tout cela est très flou mais *c'est* la manière dont nous pensons.

Et si nous essayions de trouver une métaphore pour caractériser les métaphores. Supposons que vous preniez un avion pour Clermont-Ferrand, où vous n'êtes jamais allé auparavant. Vous sortez de l'avion et louez une voiture. Quelle est la première chose que vous devriez faire ? Probablement acheter une carte de la ville pour vous faire une idée de sa configuration, de ses routes et des sites touristiques. La carte en elle-même n'est pas Clermont-Ferrand, mais elle vous donne une idée générale de la structure de la ville. Pour conclure, une métaphore est une carte géographique de l'esprit.

L'Eau, Un Modèle pour la Finance

Notre langue est totalement métaphorique, à tel point que nous ne nous en apercevons pas. Il existe des groupes de métaphores qui reflètent ce que nous pensons de certaines activités. Un exemple nous est donné par la métaphore du « Grand jeu de la Vie ». Le monde des affaires emploie une terminologie sportive pour se décrire. Tout le monde s'efforce d'être « numéro » 1; il y a des « équipes qui gagnent », des « contre-performances », et des représentants de commerce qui ont fait leurs preuves « sur le terrain ». Vous pouvez aussi être un « challenger », un « poids lourd » ou un « poids léger »; avoir une production « record ».

Mais mon exemple préféré est le langage employé par les financiers. Quand il m'arrive de travailler avec des banquiers ou des comptables, je m'aperçois qu'ils emploient un langage de plombiers. Et ce n'est pas surprenant! Ils ont recours à l'eau comme modèle pour décrire leurs activités.

Écouler sa production

Prendre un bouillon

Le cours d'une monnaie

Laisser flotter une monnaie

Cash-flow

Couler

Être remis à flot

Se faire
lessiver

Inonder le marché

Argent blanchi

Liquidités

Solvabilité

Dépôts

Injecter de l'argent

Avoir gelé

RENDRE FAMILIER CE QUI EST ÉTRANGE

Les métaphores sont tout à fait efficaces pour rendre plus compréhensibles les idées complexes. Elles peuvent être d'excellents instruments pour expliquer des concepts à des personnes non initiées.

Voici quelques exemples :

Le *Dolby stéréo.* Depuis quelques années, l'expression « Dolby stéréo » est devenue familière aux auditeurs de modulation de fréquence et aux amateurs de cinéma. Je ne suis pas ingénieur, donc ne connais pas tous les tenants et aboutissants du procédé Dolby, mais j'ai entendu récemment un ingénieur faire la métaphore suivante pour expliquer ce qu'est un Dolby.

> Le Dolby est comparable à une blanchisserie sonique. Il nettoie la saleté (ou le bruit) des vêtements (le signal) sans déformer les vêtements (le signal).

J'ai demandé leur sentiment à d'autres ingénieurs qui m'ont confirmé que le Dolby était un procédé de « nettoyage ».

Le *Syndicat d'ouvriers.* Le philosophe Eric Hoffer a décrit les syndicats en ces mots :

> Dans les années trente, les syndicats, c'était un peu comme une femme de vingt

ans. Très belle, un corps splendide, une personnalité brillante, apte à séduire le plus grand nombre. Superbe. Le problème est que cette sirène de vingt ans a maintenant soixante ans, pèse vingt kilos de trop a besoin d'un lifting, et a très mauvais caractère. « En plus », ajoutait-il, « elle est persuadée d'avoir encore vingt ans. »

Les *cataractes*. Il m'est arrivé d'entendre un ophtalmologiste faire la métaphore suivante sur le développement et l'opération chirurgicale de la cataracte.

Rappelez-vous ces superbes décapotables des années cinquante. Après l'avoir achetée, on vous la livrait. Le pare-brise avant et les vitres latérales étaient en verre, alors que la vitre arrière était en plastique. Rien à dire puisque vous pouviez vraiment y voir à travers. Toutefois au bout de six mois environ, le plastique commençait à jaunir, mais vous pouviez encore y voir à travers. Au bout d'un an, il devenait encore plus jaune. Et enfin, après plusieurs années, la fenêtre était franchement opaque et vous étiez donc obligé de retourner chez le concessionnaire pour la faire remplacer. C'est exactement la même chose avec une cataracte.

Au début l'œil est sain. Puis des opacités apparaissent sur le cristallin. Quand l'œil est obturé, il est nécessaire de procéder à une extraction du cristallin cataracté.

Voilà donc la raison pour laquelle nous n'avons plus de décapotables à « cataracte ».

Les *ordinateurs personnels.* Steve Jobs, l'un des inventeurs de l'ordinateur Apple, compare ce dernier à une bicyclette dans l'analogie suivante :

> « Il y a quelques années, j'ai lu une étude sur l'efficacité de la locomotion chez diverses espèces vivantes, y compris l'homme. L'étude établissait quelle était l'espèce la plus efficace pour parvenir d'un point A à un point B avec un minimum de dépense d'énergie. Le vainqueur était le condor. L'homme arrivait à un résultat assez médiocre, placé aux environs du tiers de la liste.

Mais quelqu'un eut la perspicacité de faire l'expérience avec un homme à bicyclette. L'homme est alors deux fois plus efficace que le condor ! Ceci illustre l'aptitude de l'homme à fabriquer des outils. Lorsqu'il créa la bicyclette, il disposa d'un outil lui permettant d'amplifier une aptitude inhérente. Voilà pour-

quoi j'ai plaisir à comparer l'ordinateur individuel à la bicyclette. Disons que notre ordinateur est une bicyclette du XXIe siècle dans la
mesure où c'est un outil qui peut amplifier
une certaine partie de notre intelligence inhérente. »

Si l'on s'en tient à la simple logique, un ordinateur individuel n'est *pas* une bicyclette, et
une cataracte n'est *pas* la vitre arrière d'une
voiture décapotable. Mais l'emploi de telles
analogies nous permet d'acquérir une nouvelle
perspective à la fois dans les domaines de
l'inconnu et du connu.

LE SENS DE LA VIE

Je suppose que vous ne doutez plus un seul instant que les métaphores soient l'une de mes passions ; j'espère donc que vous m'excuserez si je m'adonne à une autre métaphore. La question que je me pose est : « Quel est le sens de la Vie ? » Pour trouver la réponse, j'ai demandé aux participants à mes séminaires de faire une métaphore sur la vie. Leurs idées se répartissent en deux catégories : celles qui ont pour sujet les aliments, et les autres. Voici le sens de la Vie :

 La vie c'est comme un gruyère. C'est délicieux quand c'est frais mais trop souvent c'est dur. Le grand mystère ce sont les trous et pourtant ça ne serait pas du gruyère s'il n'y en avait pas.

La vie c'est comme manger un pamplemousse. D'abord, il faut le couper ; puis avaler plusieurs bouchées avant de vous habituer au goût, et dès que vous commencez à l'apprécier, vous recevez une giclée de jus dans l'œil.

La vie c'est comme une banane. Quand vous êtes jeune vous n'êtes pas mûr et vous ramollissez avec l'âge. Certains marchent à plein régime, d'autres préfèrent un régime normal.

La vie c'est comme faire la cuisine. Tout dépend de ce que vous ajoutez et comment vous le mélangez. Il vous arrive de suivre la recette et à d'autres moments, d'être créatif.

La vie c'est comme un puzzle à la différence que vous n'avez pas l'image sur le couvercle de la boîte pour vous aider à assembler les pièces. En plus vous n'êtes même pas sûr d'avoir tous les morceaux.

 La vie c'est comme un boulier dont les boules ne seraient pas enfilées. C'est ce que vous en faites qui compte.

 La vie c'est comme lancer un nouveau produit. La phase de recherche c'est la décision d'avoir des enfants. La conception du produit c'est l'accouplement. Le développement du prototype c'est la naissance. La mise au point du prototype c'est l'éducation. Le succès commercial c'est le travail. La maturation du produit c'est la retraite. Et l'obsolescence du produit c'est la mort.

 La vie c'est comme être dans un labyrinthe et essayer d'éviter la sortie.

 La vie c'est comme monter dans un ascenseur. Il y a beaucoup de hauts et de bas et il n'y a pas toujours quelqu'un pour vous renvoyer l'ascenseur. Et en plus c'est parfois un autre qui appuie sur les boutons à votre place.

 La vie c'est comme un jeu de poker. Vous pouvez tirer la bonne carte ou jouer votre carte. Elle suppose du talent et de la chance. Vous pariez, comptez les points, bluffez, relancez. Tantôt vous avez plus d'une carte dans votre jeu, tantôt vous jouez votre dernière carte. Mais quoi qu'il arrive, évitez de brouiller les cartes.

 La vie c'est comme un jeune chien toujours à l'affût d'un réverbère.

 La vie c'est comme une pièce pleine de portes ouvertes qui se referment à mesure que vous vieillissez.

Et pour vous, qu'est-ce que c'est la Vie ?

CONCLUSION

La logique est un instrument important de la pensée créative. Son utilisation est particulièrement opportune dans la phase pratique du processus créatif quand vous évaluez des idées et préparez leur application.

Toutefois quand vous recherchez des idées, un excès de pensée logique peut court-circuiter votre processus créatif. La raison en est que la phase embryonnaire est gouvernée par une logique différente que l'on peut qualifier de métaphorique, fantastique, diffuse, elliptique et ambiguë.

☐ *Conseil n⁰ 3*

Pour des idées meilleures et plus nombreuses, je prescris une bonne dose de pensées floues dans la phase embryonnaire, et une portion copieuse de pensées nettes dans la phase de mise en pratique.

☐ *Conseil n⁰ 4*

La métaphore est un instrument excellent pour vous aider à « penser différemment ». Selon l'expression d'Ortega y Gasset, « La métaphore est probablement le pouvoir le plus fertile de l'homme. » Imaginez que vous êtes un poète, et recherchez des similitudes autour de vous. Si vous avez un problème, essayez d'en faire une métaphore. Cela devrait vous aider à le voir sous un jour nouveau.

□ *Conseil nᵒ 5*

Allez à la recherche de métaphores. Soyez attentif aux métaphores que les gens emploient pour décrire ce qu'ils font. Par exemple, avez-vous déjà remarqué à quel point les météorologues ont recours à une terminologie de guerre pour décrire leur science ?

□ *Conseil nᵒ 6*

Soyez attentif aux métaphores que vous utilisez. Si sensationnelles qu'elles puissent être, ce sont des instruments qui peuvent facilement emprisonner votre réflexion si vous n'êtes pas conscient du fait qu'elles guident fortement vos pensées.

3

"SUIVEZ LES RÈGLES"

MODÈLES : LES RÈGLES DU JEU

« L'Ordre est la première loi du ciel. »

Alexander Pope

Supposons que vous regardiez la télévision dans votre salle de séjour avec quelques amis. Quelqu'un entre dans la pièce, et ce faisant, trébuche sur une chaise qu'il fait tomber. Puis il ramasse la chaise et s'excuse de la per-

turbation qu'il a causée. Quelle impression vous fait cette personne ? Soyez sincère. Vous pensez probablement qu'elle est maladroite, n'est-ce pas ?

Bien. Dix minutes plus tard, une autre personne entre dans la pièce, et trébuche aussi sur la chaise. Vingt minutes plus tard, une troisième personne entre dans la pièce et la scène se répète à nouveau. Qu'en pensez-vous maintenant ? Que la chaise était mal placée, je suppose. Félicitations, vous avez reconnu un modèle ! Vous pouvez même généraliser ce modèle pour en faire cette règle que quiconque entrera dans cette pièce trébuchera sur la chaise — à moins, bien sûr, que l'on ne déplace la chaise.

Supposons que je vous donne la série de nombres suivants :

$$1, \ 4, \ 9, \ 16, \ 25, \ 36, \ 49$$

Les chances sont fortes que vous reconnaissiez rapidement le modèle, à savoir que chaque nombre est le carré de sa position dans la série. Et vous seriez tellement convaincu du modèle que vous pourriez prévoir que le nombre suivant de la série est 64. Encore une fois, vous avez établi une règle à partir d'un modèle que vous avez reconnu.

Qu'en serait-il de la liste suivante :

Dinde
Feu d'artifice
Cotillons
Champagne
Masque
Sapin
Muguet
Défilé

Au premier coup d'œil, vous ne verriez probablement que peu de ressemblances entre une dinde et un feu d'artifice, mais après avoir lu le reste de la liste, vous vous rendriez compte que ces choses sont toutes associées à des fêtes. On pourrait continuer l'énumération avec les pétards, les œufs en chocolat, les guirlandes, les galettes, les crêpes, etc.

Ces trois exemples nous amènent à établir un autre modèle, à savoir, que l'esprit humain est très fort pour reconnaître les modèles. En fait, j'ai tendance à penser que ce que nous appelons « intelligence » est en fait notre aptitude à reconnaître des modèles. Nous reconnaissons des enchaînements (par exemple l'ordre selon lequel nous nous habillons), des cycles (les migrations des oiseaux), des procédés (comment transformer de la farine, des œufs et du lait en gaufres), des tendances (si je souris à la jeune fille de la caisse, elle me rendra le sourire), des répartitions (démographie), des formes (les formations de nuages), des sons (les mélodies), des mouvements (le flux de la mer), des rites culturels (les différentes manières de faire la cour), et des probabilités (les chances de tirer un « six » en lançant un dé).

Les gens voient des modèles partout — même là où il n'y en a pas. Par exemple le ciel étoilé. La première illustration nous montre une partie du ciel de printemps dans l'hémisphère nord.

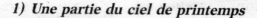

1) Une partie du ciel de printemps

Ça a bien l'air d'un amas d'étoiles, n'est-ce pas ? Eh bien, il y a des millénaires, les Anciens levèrent les yeux, concentrèrent leur attention sur certaines étoiles, les relièrent entre elles (en ignorant le reste des étoiles), pour aboutir au dessin d'un lion (2e illustration) — une sorte de Rorschach céleste !

2) *La Constellation du Lion*

Ainsi, les modèles nous donnent le pouvoir de comprendre le monde phénoménal, ils *gouvernent* notre esprit — ils deviennent des règles selon lesquelles nous jouons au grand jeu de la vie.

DÉFIER LES RÈGLES

> « *Tout acte de création est*
> *avant tout*
> *un acte de destruction.* »
>
> *Picasso*

Si la construction de modèles était la seule nécessaire à la création de nouvelles idées, nous serions tous des génies créatifs. La pensée créative n'est pas seulement *constructive*, elle est aussi *destructive*. Comme nous l'avons évoqué dans le premier chapitre, la pensée créative suppose nécessairement que vous jouiez avec vos connaissances, ce qui peut vouloir dire sortir d'un modèle pour en créer un autre. Par conséquent, une stratégie efficace de la pensée créative est de jouer l'avant-gardiste et défier les règles. En voici un bon exemple :

Durant l'hiver de l'année 333 av. J.-C., le général macédonien Alexandre-le-Grand et son armée arrivèrent dans la ville asiatique de Gordium pour prendre leurs quartiers d'hiver. Pendant son séjour, Alexandre entendit parler de la légende qui courait sur le célèbre nœud de la ville, le « Nœud gordien ». Il était prédit que quiconque pourrait défaire ce nœud étrangement compliqué deviendrait roi d'Asie. Cette histoire intrigua Alexandre qui demanda où était le nœud afin de tenter de le défaire. Il l'examina un certain temps, mais après de vaines tentatives pour trouver les bouts de la corde, il fut dans une impasse.

C'est alors qu'une idée lui vint : « Je n'ai qu'à inventer mes propres règles pour défaire ce nœud. » Il dégaina son épée et trancha le nœud en deux. Il était maître de l'Asie.

Copernic rendit caduque la règle selon laquelle la terre se trouvait au centre de l'univers. Napoléon alla à l'encontre de toutes les règles classiques de conduite d'une guerre. Beethoven viola les règles selon lesquelles on composait alors une symphonie. Picasso se distingua par l'utilisation qu'il fit d'un siège de bicyclette. Réfléchissez-y : la plupart des progrès dans l'art, la science, la technologie, les affaires, le marketing, la cuisine, la médecine, l'agriculture, et le design ont été faits lorsque quelqu'un a défié les règles et tenté une autre approche.

De telles infractions aux règlements se font également dans le domaine du sport. Jusqu'aux années 1920, il n'y avait que trois nages de compétition — la nage libre, le dos crawlé et la brasse — et chacune avait des règles précises pour leur exécution. Les règles de la brasse spécifiaient que les deux bras devaient être ramenés ensemble *sous l'eau*. Toutefois, dans les années vingt, quelqu'un défia les règles, et décréta que ce mouvement pouvait s'effectuer *à la surface de l'eau*. Cette nouvelle « brasse » faisait gagner près de 15 % en vitesse, et ceux qui utilisaient la version orthodoxe n'étaient plus compétitifs. Il fallut trouver une solution et finalement, cette nouvelle nage — connue maintenant sous le nom de « papillon » — devint une quatrième nage, et constitua une épreuve olympique en 1956.

L'innovateur défie constamment les règles. La plupart des gens disent : « En règle générale, si l'opération " XYZ " est exécutée d'une certaine façon, elle obtiendra les résultats " alpha-beta-gamma ". » À cet endroit, « XYZ » peut être une stratégie commerciale, un procédé technique, un système de comptabilité, un packaging, etc. L'innovateur jouera avec « XYZ » et recherchera des résultats *en dehors* des règles et des lignes de conduites habituelles.

L'un de mes clients, un industriel, est allé jusqu'à incorporer cette philosophie dans son logo :

Toute règle ici
peut être
enfreinte
sauf celle-ci

Il est persuadé que si son entreprise suit les mêmes règles dans cinq ans, elle n'aura pu faire progresser l'état de ses techniques.

SUIVEZ LES RÈGLES

Il est plus facile de se dire avant-gardiste que de l'être effectivement. Le président d'une société m'a dit que le plus difficile pour lui était d'obtenir de ses subordonnés qu'ils défient les règles. Il soulevait là un vrai problème. Pourquoi avons-nous tendance à traiter la plupart des problèmes et des situations comme étant figés dans des règles établies, plutôt que comme autant de sujets ouverts avec lesquels il est possible de jouer.

L'une des raisons est la forte pression exercée par notre culture pour *suivre les règles*. C'est l'une des premières choses que nous apprenons dans notre enfance. On nous dit : « Ne colorie pas en dehors des lignes », et « Pas d'éléphants oranges ». Notre système éducatif nous encourage à continuer à nous conformer aux règles. Les étudiants sont généralement mieux récompensés s'ils recrachent des informations apprises plutôt que s'ils jouent avec une idée et font preuve d'originalité.

En conséquence, les gens se sentent plus à l'aise lorsqu'ils suivent les règles que lorsqu'ils les défient.

D'un point de vue pratique, cette valeur a un sens ; pour survivre en société, il nous faut suivre toutes sortes de règles. Crier dans une bibliothèque ou hurler « au feu » dans un théâtre où il y a une foule, sont deux choses à *ne pas* faire. Si, toutefois, vous essayez de concevoir de nouvelles idées, la valeur « suivez les règles » peut alors constituer un verrou.

Le Syndrome Médor

Défier les règles est une bonne stratégie de pensée créative, mais ce n'est pas tout. Ne jamais défier les règles résulte au moins en deux dangers potentiels. Le premier est qu'une personne peut s'enfermer dans une approche ou une méthode sans voir que d'autres approches seraient plus appropriées. En conséquence, il se peut qu'elle adapte ses problèmes aux idées reçues qui lui permettront de les résoudre.

L'autre raison de défier les règles est ce que j'appelle le « Syndrome Médor » que voici :

1. Nous établissons des règles basées sur des raisons qui ont un sens.

2. Nous suivons ces règles.

3. Le temps passe et les choses changent.

4. Les raisons primitives qui ont donné naissance à ces règles ont peut-être disparu, mais comme les règles sont encore en place, nous continuons à les suivre.

Par exemple, j'aime courir, et j'ai trois ou quatre circuits que je prends selon la distance que je veux parcourir. L'un de ceux-ci fait environ six kilomètres. J'ai l'habitude de m'arrêter deux maisons avant la mienne, car il y a deux ans, quand j'ai commencé à utiliser ce chemin, il y avait un cocker très affectueux qui appartenait aux habitants de la maison où je m'arrêtais. Il se nommait Médor. Après ma course, je m'arrêtais un instant pour le caresser et reprendre mon souffle. Ainsi l'arrêt à la maison de Médor devint la règle pour bien terminer une course de détente.

Mais les choses ont changé. Son propriétaire a déménagé il y a un an, et emmené Médor avec lui. Néanmoins chaque fois que je prends ce chemin, je m'arrête au même endroit — bien que Médor n'habite plus là. Il y a probablement des endroits plus agréables pour arrêter ma course, mais comme je continue à suivre une règle dépassée, je ne les ai pas recherchés.

Voici une autre illustration du Syndrome Médor. Jetez un coup d'œil sur la série de lettres suivantes :

A Z E R T Y U I O P

Vous disent-elles quelque chose ? Vous avez sans aucun doute vu cette suite très souvent. C'est la première rangée de lettres d'un clavier de machine à écrire. Or cette configuration a des origines fascinantes.

Dans les années 1870, Sholes & Co., à l'époque, le premier fabricant de machines à écrire, reçut de nombreuses plaintes des utilisateurs de ces machines : les caractères se coinçaient si l'opérateur tapait trop rapidement.

La direction réagit et demanda à ses ingénieurs de trouver un moyen pour éviter que cela ne se produise.

Les ingénieurs se concertèrent jusqu'à ce que l'un d'entre eux propose : « Et si nous ralentissions l'opérateur ? Ainsi les caractères ne se bloqueraient plus. Comment faire pour ralentir la vitesse de l'opérateur ? »

Une des réponses fut de mettre au point un clavier dont la configuration fut moins logique. Par exemple, les lettres « A » et « O » sont des lettres très fréquemment utilisées dans l'alphabet français, et pourtant les ingénieurs les placèrent sur le clavier de telle façon que l'annulaire et le petit doigt, qui sont assez faibles, aient à appuyer sur les touches. Cette logique fut appliquée à tout le clavier, et cette idée brillante résolut le problème. Depuis, l'état de la technique dans la dactylographie et le traitement de texte a progressé de façon spectaculaire. Certaines machines à écrire, actuellement, ont une vitesse de fonctionnement qui dépasse de beaucoup la rapidité de frappe de n'importe quel utilisateur. Le problème est que le clavier « AZER... » continue à être utilisé, bien qu'il existe des configurations beaucoup plus rapides. Dès qu'une règle est instaurée, il est très difficile de l'éliminer même si la raison qui est à l'origine de sa conception a disparu.

CONCLUSION

La pensée créative n'est pas seulement constructive, elle est aussi destructive. Il est souvent nécessaire de se soustraire à un modèle pour en découvrir un autre. Soyez donc vigilant face aux changements et flexible avec les règles. Souvenez-vous qu'enfreindre les règles ne mènera pas forcément à des idées créatives, mais que c'est une voie possible. Après tout, de nombreuses règles survivent souvent à la raison primitive pour laquelle elles ont été instaurées.

☐ *Conseil nº 7*

Jouez l'avant-gardiste et défiez les règles — surtout celles que vous suivez pour conduire vos activités quotidiennes.

☐ *Conseil nº 8*

Souvenez-vous que jouer l'avant-gardiste présente aussi des risques. Un homme m'a dit qu'à chaque fois qu'il se lassait d'une routine, il aimait y introduire une « perturbation » pour la rendre intéressante.

Quand sa femme et lui dépassèrent la quarantaine, ils cherchèrent à tromper leur ennui et décidèrent d'avoir un autre enfant. En se remémorant cette décision, il dit : « Je crois que nous avons exagéré la " perturbation ". »

☐ *Conseil n° 9*

Reconsidérez périodiquement vos idées pour voir si elles contribuent à rendre votre pensée efficace. Demandez-vous : « Pourquoi ce programme, ce projet, ce concept, ou cette idée ont-ils pris corps ? », continuez en vous demandant : « Ces raisons existent-elles toujours ? », si la réponse est négative, éliminez l'idée.

☐ *Conseil n° 10*

Évitez de vous enticher de vos idées. Je reçus ce conseil il y a plusieurs années de mon imprimeur. Il me dit un jour : « Ne vous amourachez pas d'un caractère particulier d'impression, sinon vous l'utiliserez partout, y compris dans des circonstances où il n'est pas approprié. » Je pense que la même chose peut s'appliquer aux idées. J'ai vu des gens s'enflammer pour une approche ou un système particulier et être incapables de voir les mérites d'approches alternatives. Je pense que l'une des grandes émotions de la vie est de rompre avec une idée que l'on chérissait auparavant. Quand cela arrive, vous êtes à nouveau libre d'en rechercher d'autres.

□ *Conseil n° 11*

Organisez des réunions destinées à passer en revue et remettre en cause les règles en vigueur dans votre entreprise. Il se peut même que cette activité vous procure d'autres bénéfices, par exemple, en termes de motivation : trouver et éliminer des règles désuètes peut être très amusant. Mark Twain pensait peut-être à ça lorsqu'il fit la remarque suivante : « Les rapports sexuels sont l'un des plaisirs de la vie les plus surestimés, et la défécation, l'un des plaisirs les moins appréciés. »

4

"AYEZ LE SENS PRATIQUE"

Exercice :
Essayez d'imaginer ce qui se passerait si la gravité cessait pendant une seconde chaque jour.

Que se passerait-il ? De quoi aurait l'air la surface de la Terre ? Et les océans, les fleuves ? Comment la vie aurait-elle pu évoluer dans de telles conditions ? Les espèces vivantes présenteraient-elles, dans ce cas, des caractéristiques particulières adaptées à une absence de gravité ? Comment les maisons seraient-elles conçues ? Imaginez votre salle de séjour. Comment l'arrangeriez-vous et disposeriez-vous les meubles s'il y avait apesanteur une seconde tous les jours ?

ENGRAIS MENTAL

Les êtres humains occupent une place à part dans l'ordre des choses. Notre pensée dépasse le domaine du réel et du présent grâce à l'aptitude que nous avons de symboliser notre expérience. Cette aptitude rend notre pensée plus puissante dans deux directions fondamentales. En premier lieu, elle nous permet d'anticiper sur l'avenir ; nous pouvons faire des hypothèses : « S'il pleut demain, comment se passera notre pique-nique ? Quelles sont les dispositions à prendre ? » C'est en faisant de telles hypothèses que nous pouvons faire face au futur.

En second lieu, dans la mesure où notre pensée n'est pas soumise aux contraintes du monde réel, nous pouvons générer des idées qui n'ont pas d'équivalent dans le vécu. C'est ce que vous avez fait avec l'exercice sur la gravité. Il en va de même lorsque vous rêvez ou imaginez quelque chose qui n'existe pas vraiment. Je désignerai sous les termes d' « engrais mental », le domaine du possible. Les moyens de notre pensée *floue* sont nombreux pour faire fructifier cet « engrais ». Nous nous concentrerons sur deux d'entre eux dans ce chapitre : la question « Et si... ? » et le « tremplin ».

Et Si...?

Les questions « Et si... ? » sont un moyen facile de développer votre imagination. Pour ce faire, il vous suffit de vous demander « Et si... ? » et de terminer la question par une condition, une idée ou une situation en rupture avec la réalité.

Et si _____ ?

Vous pouvez mettre dans la question « Et si... ? » absolument tout ce que vous voulez, dès lors qu'il ne s'agit pas de quelque chose qui existe déjà. Cette question a l'avantage de mettre entre parenthèses un certain nombre de règles, et d'entrer dans un cadre d'esprit embryonnaire. En voici quelques exemples :

☞ Et si les animaux devenaient plus intelligents que l'homme ?

☞ Et si l'espérance de vie de l'homme était de 200 ans ?

☞ Et si l'on mettait au point des bactéries qui produisaient du pétrole ?

☞ Et si le miroir reflétait votre image en double ?

☞ Et si tout le monde dans votre entreprise jouait d'un instrument de musique, et qu'un concert ait lieu tous les vendredis à 15 heures ?

☞ Et si l'on n'avait pas besoin de dormir ?

Comme vous le voyez, ce genre de questions est non seulement très amusant, mais en plus, cela vous donne la liberté de penser différemment.

À présent, essayez de répondre aux questions suivantes.

Et si nous avions sept doigts à chaque main ?

Pourrions-nous à la fois faire signe de la main et montrer du doigt ? Aurions-nous deux pouces opposés à chaque main ?
Dans ce cas, aurions-nous une meilleure « prise » sur les choses ?

Quelles en seraient les conséquences dans le domaine du sport ? Comment attraperions-nous un ballon ? Aurions-nous la main plus sûre ? Notre système de numération serait peut-être de base 14, plutôt que 10. Quel genre de musique pour piano composerait-on, si nous avions quatorze doigts ? De quoi auraient l'air nos outils ? Et le clavier des machines à écrire ? Quelle en serait la disposition ? Les touches de majuscules seraient-elles plus nombreuses ?

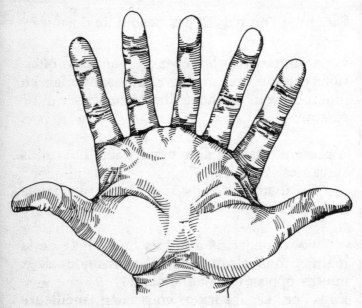

Les résultats de spéculations qui paraissent si puériles ne sont pas nécessairement futiles.

Un scientifique éminent se posa un jour la question suivante : « Et si je tombais en ascenseur dans le vide à la vitesse de la lumière, et qu'il y ait un trou dans la paroi de l'ascenseur ? Et si un rayon de lumière pénétrait dans

la cabine par ce trou ? Qu'arriverait-il ? » En
envisageant toutes les implications d'une telle
hypothèse, Albert Einstein a développé quel-
ques-uns des premiers concepts de sa théorie
de la relativité.

Qui devrait utiliser un tel outil ? Chacun —
mère de famille, commerçant, enfant, comé-
dien, chef d'entreprise, médecin, fleuriste —
peut se poser ce genre de questions et en tirer
profit. C'est un très bon moyen de se remettre
en question, de se dégager des idées toutes
faites que vous avez sur votre travail.

J'ai entendu des designers se demander :
« Et si nous rendions nos produits plus laids
et moins fiables ? » J'ai aussi connu des ingénieurs qui essayaient d'imaginer « comment
tel objet fonctionnerait si on ôtait l'un de ses
éléments essentiels », tout simplement pour
voir ce qui arriverait. J'ai même vu une personne essayer de renouveler le grille-pain en
se demandant : « Et si j'étais un grille-pain ?
Comment recueillerais-je le pain ? Quelle
impression aurais-je quand mes résistances
seraient allumées ? Qu'arriverait-il quand des
miettes tomberaient au fond ? » Ainsi, vous
vous impliquez dans le problème !

La vraie clef du « Et si... ? », c'est de
s'autoriser à sonder l'aspect possible, impossible, et même peu réaliste des idées. Après tout,

vous n'êtes limité que par votre imagination ; dans la phase embryonnaire tout est possible.

Essayez de jouer au magicien (un magicien est une personne spécialisée dans la fantaisie du « Et si... ? »). C'est une possibilité qui vous est offerte de spéculer, et ainsi de voir fleurir de nouvelles idées.

LE TREMPLIN

Mais les questions spéculatives seules peuvent ne pas produire d'idées pratiques, créatives. Il est donc parfois nécessaire d'avoir recours à un autre outil de la pensée embryonnaire, le « tremplin ». Les tremplins ne sont que des idées provocatrices qui nous incitent à penser à d'autres idées. Ils peuvent être peu réalistes ou improbables ; leur valeur ne réside pas dans la qualité de leur réalisme, mais dans leur capacité à diriger votre pensée. Souvenez-vous, quand vous êtes dans la phase embryonnaire, les contraintes de la vie réelle ne s'appliquent pas. Il arrive souvent qu'une idée peu réaliste mène à une idée pratique, créative. L'histoire suivante est un bon exemple de ce phénomène.

Il y a plusieurs années, un ingénieur d'une grande entreprise de produits chimiques posa la question suivante : « Et si nous mettions de la poudre à canon dans notre peinture de revêtement ? » Son entourage fut interloqué, mais l'ingénieur poursuivit :

Avez-vous remarqué ce qu'il arrive à une peinture de revêtement extérieur au bout de trois ou quatre ans ? Elle s'écaille, se craquelle et part très difficilement. Il doit y avoir un meilleur moyen de l'enlever. Si nous mettions de la poudre à canon dans notre peinture, nous pourrions procéder par explosion.

L'ingénieur avait une idée intéressante, mais elle présentait un inconvénient — elle n'était pas très réaliste.

Les personnes qui l'écoutaient, toutefois, firent une chose qui est toute à leur honneur. Ils ne jugèrent pas son idée sur ses mérites pratiques. Au contraire, ils l'abordèrent comme un tremplin qui pourrait les conduire à une idée pratique, créative. Ils se dirent : « Y a-t-il autre chose qui puisse provoquer une réaction chimique qui enlèverait l'ancienne peinture ? » Cette question leur ouvrit l'esprit et leur donna l'idée de mettre des additifs dans la peinture de revêtement. Ces additifs seraient inertes jusqu'à ce qu'une autre solution contenant d'autres additifs soit appliquée sur la vieille peinture. Une réaction s'effectuerait alors, entre les deux types d'additifs, qui enlèverait complètement la peinture. Cette entreprise met actuellement au point un tel procédé pour enlever la vieille peinture.

DRÔLES D'ORDURES

Il y a quelques années, une ville des Pays-Bas eut un problème d'ordures. Un quartier de la ville, autrefois propre, était devenu une horreur parce que les habitants n'utilisaient plus les poubelles. Mégots de cigarettes, bouteilles de bière, papiers de chocolat, journaux et autres détritus jonchaient les rues.

Bien entendu, ceci préoccupa le service du nettoyage qui rechercha les moyens d'assainir la ville. On avança l'idée de doubler le montant de l'amende pour chaque infraction à la propreté de la ville. Ce qui fut mis en pratique mais sans grand succès. Une autre proposition fut d'accroître le nombre des préposés aux ordures qui surveillaient le quartier. Mais ce n'était pas non plus une solution dans la mesure où cela revenait à nouveau à punir les auteurs d'infractions.

Puis quelqu'un posa la question suivante :

Et si les poubelles payaient les gens quand ils y déposent leurs ordures ? On pourrait installer un dispositif de détection électronique sur chaque boîte ainsi qu'un mécanisme de distribution des pièces. Chaque fois qu'une personne met-

trait des ordures dans la boîte, elle rece-
vrait 10 guilders.

Cette idée, c'est le moins que l'on puisse dire,
frappa l'esprit de chacun. Les adeptes du « Et
si...? » avaient modifié la situation : d'une
punition pour les pollueurs, on était passé à
une récompense pour les bons citoyens. L'idée
avait cependant une faille qui sautait aux
yeux ; si la ville la mettait en pratique, elle se
ruinerait.

Fort heureusement, les participants ne
prirent pas en considération l'idée sous son
aspect pratique mais l'utilisèrent comme un
tremplin et se demandèrent : « De quelle autre
manière peut-on récompenser les gens qui
déposent leurs ordures dans les poubelles ? »
Cette question conduisit à la solution suivante. Le service concerné mit au point des
boîtes à ordures électroniques munies d'un
dispositif particulier de détection. Lorsque
quelqu'un déposait des détritus, cela déclen-
chait un magnétophone sur lequel était enre-
gistrée une plaisanterie ; des poubelles bidon-
nantes, en quelque sorte ! Chacune racontait
une blague d'un certain type et elles se firent
rapidement une réputation. Les plaisanteries
étaient changées toutes les deux semaines, et
les gens prirent l'habitude de faire un détour

pour déposer leurs ordures dans ces poubelles ; la ville redevint propre.

Il faut retenir ceci : on ne met pas un
« tremplin » à exécution, on s'en sert pour se
propulser vers de nouvelles idées. En fait, certaines idées créatives ne pourront voir le jour
que par le moyen d'un, voire deux tremplins.

Ayez le Sens Pratique

Pourquoi ne fait-on pas plus souvent appel aux questions « Et si... ? » et aux tremplins pour concevoir des idées ? Les raisons en sont diverses. L'une d'elles est qu'en vieillissant, nous devenons prisonniers de ce qui nous est familier. Nous nous habituons au « Qu'est-ce... ? » de la réalité et oublions les possiblités offertes par la question « Et si... ? ».

La deuxième raison est que les chances de succès de ces techniques spéculatives restent faibles ; il est peu probable que toute question « Et si... ? » mènera à une idée pratique, créative. Ainsi, il se peut que vous ayez à vous poser de nombreuses questions « Et si... ? » et à rebondir sur de nombreux tremplins avant d'avoir une idée créative. Combien de questions « Et si... ? » Einstein s'est-il posé, avant de prendre son ascenseur imaginaire ? Une centaine ? Plusieurs centaines ? Peu importe. Il a fini par avoir une bonne idée qu'il n'aurait probablement pas eue s'il s'était cantonné au domaine pratique. Ainsi, même si la probabilité est faible que toute question *floue* aboutisse, quelques idées embryonnaires donneront des fruits dans le domaine de l'action. Toutefois, la plupart des gens croient ne pas avoir le temps d'agir ainsi et se limitent donc au côté plus pratique de la question « Qu'est-ce... ? ».

La troisième raison pour laquelle nous n'avons pas recours à ces outils est notre ignorance. Qu'advient-il de notre imagination au fur et à mesure que nous vieillissons ? Enfants, les contes de fées et les jeux d'imagination la cultivent. Mais ensuite, on nous fait comprendre qu'il est temps de « grandir ». L'une des participantes à mes séminaires m'a dit un jour :

La quantité d'imagination utilisée par un individu est inversement proportionnelle à la quantité de punitions qu'il recevra pour y avoir eu recours.

Elle voulait dire par là que les enfants pouvaient se permettre de passer leur temps à se poser des questions du genre « Et si...? » mais pas les adultes. Nous avons été habitués à réagir aux idées saugrenues en disant : « Ça n'a pas de sens pratique », plutôt que, « Tiens, c'est intéressant, je me demande ce qu'on pourrait en tirer. » Le danger d'un jugement prématuré est qu'il coupe court à toute création. Si les gens qui discutaient de la possibilité d'une « peinture à la poudre de canon » ou des « poubelles distributrices de monnaie » avaient dit : « Ayez le sens pratique » elles ne se seraient jamais donné la chance de saisir une idée embryonnaire et de la transformer en idée faisable.

Certes, vous devez avoir le sens pratique pour la plupart de vos activités quotidiennes. Sinon, vous ne survivrez pas longtemps. Vous ne pouvez pas vivre de nourriture imaginaire, ou arrêter votre voiture avec des freins du type « Et si...? », qui épargnent les garnitures en ne fonctionnant que les trois quarts du temps. Il est important de faire preuve de sens pratique dans le monde de l'action, mais le sens pratique seul ne peut générer des idées nouvelles. La logique, si efficace pour juger et exécuter des idées, peut paralyser le processus créatif si elle empêche l'artiste qui est en vous d'explorer des idées embryonnaires saugrenues.

CONCLUSION

Ce monde a été construit par des gens pratiques qui savaient se mettre dans un cadre d'esprit embryonnaire, écouter leur imagination, et mettre leurs idées en pratique.

☐ *Conseil nº 12*

Chacun de vous a un « artiste » et un « juge » en lui. L'attitude ouverte de l'artiste est caractéristique du type de pensée que vous employez dans la phase embryonnaire quand vous concevez des idées. L'attitude d'évaluation du juge représente le type de pensée que vous employez dans la phase pratique quand vous préparez la mise à exécution de vos idées. Je recommande d'éviter de faire apparaître le juge avant que l'artiste n'ait eu une chance de faire son travail. Une appreciation prématurée peut empêcher la conception.

☐ *Conseil nº 13*

Soyez un magicien : posez des questions du type « Et si... ? » et utilisez les réponses provocantes que vous trouvez comme autant de tremplins vers de nouvelles idées.

☐ *Conseil nº 14*

Cultivez votre imagination. Prenez le temps chaque jour de vous demander « Et si... ? »

Bien que les probabilités soient faibles que chaque question « Et si... ? » mène à une idée pratique, plus vous vous exercerez à cette activité, plus vous deviendrez productif.

☐ *Conseil n° 15*

Encouragez les autres à se demander « Et si... ? ». Beaucoup de mes clients ont instauré une « question " Et si... ? " par semaine » au sein de leurs services comme moyen de soulever des problèmes potentiels et rechercher des opportunités. « Et si le gouvernement modifiait les dispositions fiscales en matière de plus-values ? » « Et si le coût de l'argent doublait dans les six mois à venir ? » « Et si les mémoires d'ordinateur étaient illimitées ? » « Et si le marché de notre produit leader diminuait de 75 % ? » « Et si nous n'allions au bureau que trois fois par semaine et faisions le reste du travail à la maison ? »

RÉCRÉATION

Il est très amusant de faire ainsi sauter des « verrous », mais il y a toujours le risque que vous ne « décrochiez ». Je vous propose donc de faire une pause. Si vous voulez prendre une tasse de café ou de thé, ou aller vous promener, allez-y. Pour votre retour, j'ai quelques idées qui, j'espère, vous intéresseront.

À Rebrousse-Temps

Voici l'opinion d'une personne sur ce qui se passerait si nous vivions à rebrousse temps.

La vie est dure. Elle vous prend tout votre temps, tous vos week-ends, et qu'avez-vous en fin de compte ?... La mort, belle récompense !

Je suis persuadé que le cycle de vie est complètement inversé. On devrait d'abord mourir, on est débarrassé, puis on passe vingt ans dans un hospice de vieux. On vous vire quand vous êtes trop jeune, on vous file une montre en or, vous allez au boulot. Vous bossez pendant quarante ans jusqu'à ce que vous soyez assez jeune pour profiter de votre retraite.

Vous allez à l'université, vous essayez la drogue, l'alcool, vous faites la fête, jusqu'à ce que vous soyiez prêt pour le lycée. Vous allez au lycée, à l'école primaire, vous êtes gosse, vous jouez, vous n'avez pas de responsabilités, vous êtes un bébé, vous têtez le sein et vous passez vos neuf derniers mois à flotter.

ÉNIGME

Exercice :
Reliez les 2 points.

●
1

●
2

□ *Conseil*

Pour une pensée plus efficace, faites circuler vos idées dans votre tête. Être créatif, ce n'est pas seulement générer des idées nouvelles, mais aussi savoir abandonner des idées désuètes.

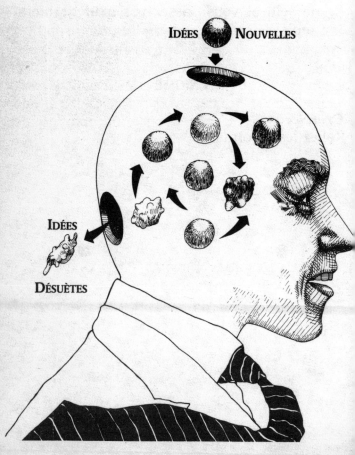

Désapprendre

Andrew Mercer vient d'ouvrir le *Sequoia College of Diseducation (SCD)* à San Francisco, avec comme principal objectif de « déprogrammer » les gens trop qualifiés. C'est une grande nouvelle pour les titulaires d'un doctorat et autres personnes qui ont une formation très poussée et éprouvent à cause de cela des difficultés à trouver un emploi. Après quatre ans passés au SCD, le titulaire d'un doctorat pense et raisonne comme le titulaire d'une licence, et n'est plus écarté du marché de l'emploi parce qu'il est surqualifié.

Poésie Royale

Le roi envoya tous ses sages
À la recherche d'une rime en ABC ;
Après de longues réflexions
Ils n'en trouvèrent aucune.
« Il m'est pénible », dit le roi
« de vous abaisser ».

Amusement Multilatéral

On a tous un modèle mathématique préféré. Pour moi, c'est le solide géométrique à douze côtés, le dodécaèdre (l'un des cinq solides réguliers existants avec le tétraèdre, le cube, l'octaèdre, l'icosaèdre). Croyez-le ou pas, un grand nombre d'idées contenues dans ce livre me sont venues en construisant des dodécaèdres, ou en jouant avec.

Vous pouvez faire votre propre dodécaèdre en photocopiant le patron de la page suivante sur une feuille de papier épais ou un carton. Découpez le long des lignes continues et pliez le long des pointillés.

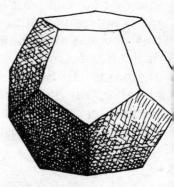

Rabattez chaque coin triangulaire sous le pentagone contigu et scotchez (ou collez). Vous aurez ainsi votre propre dodécaèdre, et vous pourrez jouer avec. Essayez de penser à tout ce qui peut être mis sur chacun des côtés.

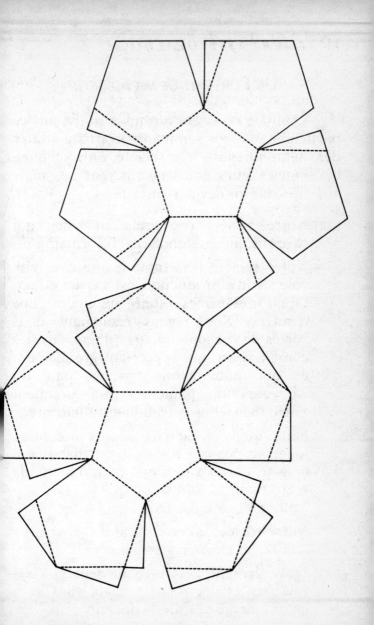

UN PORTRAIT DE MA SOCIÉTÉ

L'un des exercices auxquels se livrent les participants à mes séminaires consiste à faire des métaphores sur leur société. En voici quelques-unes. Leurs noms ne figurent pas mais vous devriez en deviner certaines.

☆ Notre société ressemble au soleil qui rayonne sur le monde de l'informatique.

☆ Notre société ressemble à une cave viticole. Notre production est variée et certains millésimes sont meilleurs que d'autres. Nous avons, également deux sortes de consommateurs : d'une part, les connaisseurs, qui apprécient grandement ce que nous avons fait ; et puis les « buveurs de piquette » qui prennent notre logiciel et le trafiquent à leur gré.

☆ Faire de la recherche ici, c'est comme jouer au poker. La société est disposée à investir dans votre projet du moment que votre main est bonne ou que la carte suivante ne coûte pas trop cher.

☆ Notre société, c'est comme un labyrinthe à la recherche de sa souris.

☆ Travailler ici, c'est un cauchemar. Vous voudriez bien en sortir, mais vous avez quand même besoin de dormir.

☆ Notre société ressemble à un pétrolier géant. Elle est grande et puissante, mais elle avance lentement. De même, une fois que le cap a été mis, il est difficile d'en changer.

☆ Notre société ressemble à « Peter Pan ». Elle a les réactions d'un enfant, et souhaite conserver les bons côtés des petites structures même en grandissant. Pouvoir fabriquer le meilleur produit sur le marché, c'est tout aussi merveilleux que de pouvoir voler. Notre président ressemble à Clochette — c'est le cerveau et la puissance d'imagination de notre société. Notre directeur financier ressemble à Wendy — il a le sens pratique, a les pieds sur terre, mais il se laisse prendre par la magie. Notre plus gros concurrent est comme le Capitaine Crochet ; mais nous le vaincrons avec un peu d'imagination plutôt que par « le sabre et le canon ».

☆ Notre société, c'est comme un cirque à trois pistes, avec les services marketing, recherche et développement, et production qui s'efforcent chacun d'occuper la piste principale. Le président, c'est Monsieur Loyal, le marketing fait les numéros de trapèze, la R et D fait les tours de magie, et la production dresse les éléphants. Le service publicité s'occupe de la vente des billets; le service après-vente, c'est les vendeurs de cacahuètes; nos clients sont les spectateurs; et le grand final, c'est quand on met en place avec succès un nouveau système.

☆ Notre société, c'est comme une galère sans le tambour. Certains rament tambour battant, d'autres rament tout simplement. Le capitaine, lui, raisonne à contretemps.

☆ Travailler ici, c'est comme uriner dans un complet foncé. C'est chaud et on se sent bien, mais ça ne se voit pas.

☆ Notre société, c'est comme le corps humain. La direction, c'est les tripes et l'estomac. Le service marketing, c'est la grande gueule. Les cadres de direction sont le cerveau qui prend les décisions. Le service recherche et développement, c'est l'appareil de reproduction. Et les secrétaires et techniciens sont le squelette qui soutient le corps.

LES GÉNÉRATIONS

Les historiens prétendent qu'un siècle représente trois générations. En ce qui me concerne, c'est exact. Je suis né le 16 février 1948, un siècle, jour pour jour, après mon bisaïeul, Peter, né le 16 février 1848. Il semble que je maintienne la tradition puisque ma fille, Athena, est née le 16 février 1981, exactement un tiers de siècle, jour pour jour, après moi.

L'HOMME QUI PUAIT DE LA TÊTE

On entend souvent parler de gens qui ont l'esprit « clair ». Ceci témoigne d'une « approche optique » du savoir (cf. « Ce n'est pas logique »). Et si, au lieu de la vue, nous faisions appel au sens olfactif pour décrire l'esprit ? Dans ce cas, il serait possible à quelqu'un d'avoir l'esprit « qui pue ».

POPCORN INTELLECTUEL

☆ Seule la plus bête des souris irait se cacher dans l'oreille d'un chat. Mais seul le plus malin des chats penserait à la chercher là.
Andrew Mercer

☆ La plupart des progrès de la science ont lieu quand une personne, pour une raison ou une autre, est forcée de changer de domaine.
Peter Borden

☆ Il y a deux sortes de vérités, la vérité simple et la vérité absolue. La vérité simple est facile à reconnaître parce que c'est le contraire du mensonge. Le contraire de la vérité absolue est une autre vérité.
Niels Bohr

☆ Les seuls à aimer le changement sont les bébés mouillés.
Roy Z-M Blitzer

☆ Pour ceux d'entre vous qui voient la vie comme une blague, pensez donc à la chute de l'histoire.
Anon

☆ Une société qui méprise la perfection dans la plomberie sous prétexte que la plomberie est une activité modeste et tolère la mesquinerie dans la philosophie parce que la philosophie est une activité estimée, n'aura ni une bonne plomberie, ni une bonne philosophie. Ni ses tuyaux, ni ses théories ne draineront de grands courants.
John W. Gardner

☆ Il existe trois moyens de se hisser au sommet d'un arbre : 1) grimper ; 2) s'asseoir sur un gland ; ou, 3) se lier d'amitié avec un grand oiseau.
Robert Maidment

PRODUCTIVITÉ ÉLEVÉE

Le système économique soviétique évalue la productivité d'une usine, non par le nombre d'unités produites, mais par la quantité de matériel consommé. Il s'ensuit que les liens entre l'ouvrier et la productivité sont rompus. Une telle politique peut avoir des résultats étranges, du moins dans sa manière de motiver les gens.

Les dirigeants d'une usine qui fabrique du matériel de camping métallique ainsi que des poêles à frire réalisèrent que s'ils employaient une plus grande quantité de métal, ils obtiendraient des primes pour avoir dépassé les objectifs du plan. Mais les ouvriers se refusaient à augmenter les quantités produites. Comment sortir de ce dilemme ? Ils prirent la décision de produire du matériel de camping plus lourd. Peu après, l'usine recevait des primes tandis que des campeurs infortunés se démolissaient le dos.

CONCEPTS COLORÉS

Avez-vous déjà remarqué combien notre langue est colorée ? Toutes sortes de concepts sont traduits par des couleurs. En voici des exemples :

Cœur d'or   Petit-gris   Livre blanc

Idée noire   Billet vert

Blanc-bec   Veau d'or   Grise mine

Regard noir   Alerte rouge

Pied-noir   Péril jaune   Noces d'argent

Matière grise   Carte blanche

Verte jeunesse   Voir rouge   Fièvre jaune

Magie noire   Sang bleu

Bleu d'Auvergne   Rire jaune   Livre d'or

Voix blanche

LE SOFTWARE JACK GRIMES

Le chef informaticien : J'aime bien votre programme ; il n'y a que la fin qui ne me plaît pas.

Le programmeur : Qu'est-ce qui vous gêne avec la fin ?

Le chef informaticien : Je la voyais plus proche du début.

Bon, la récréation est terminée — j'espère que ça vous a donné des idées.

**_Et maintenant,
ouvrons un autre verrou !_**

5

"ÉVITEZ L'AMBIGUÏTÉ"

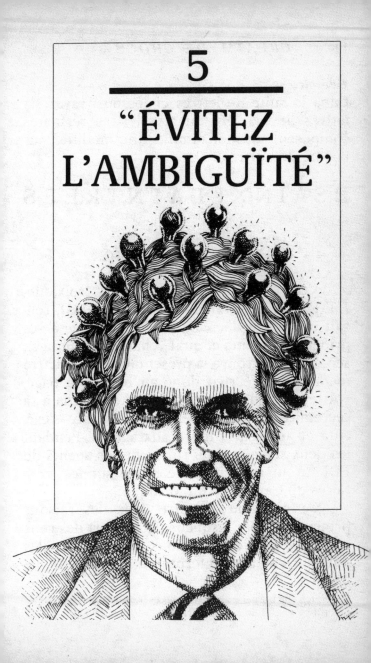

Exercice :
Dans la suite de lettres ci-dessous, rayez six lettres de manière que les lettres restantes composent un mot familier (ne modifiez pas l'ordre des lettres).

B S A I N X L E A T N T R E E S

PENSER AVEC AMBIGUÏTÉ

Vers le milieu des années soixante, J. Edgar Hoover, alors directeur du FBI, relisait une lettre dactylographiée destinée à ses principaux agents et qu'il venait de dicter à sa secrétaire. Il trouva la présentation de la lettre incorrecte et écrivit donc au bas de la page, « Attention aux marges* », puis demanda à sa secrétaire de la retaper. La secrétaire s'exécuta et adressa la lettre aux agents. Pendant les deux semaines qui suivirent, les agents du FBI furent mis en alerte rouge sur les frontières du Canada et du Mexique.

Cette histoire illustre deux des raisons principales pour lesquelles la plupart des gens n'aiment pas les situations ambiguës (celles qui peuvent être interprétées de plus d'une

---

* « Watch the borders. » En anglais, se traduit par « marge » ou « frontière » selon le contexte (NdE).

façon) ; elles sont sources de confusion et de problèmes de communication. C'est pourquoi nous avons appris à *éviter l'ambiguïté*. C'est une bonne règle à suivre dans la plupart des situations pratiques : quand nous sommes appelés à donner des instructions, établir des contrats, etc. Dans ces occasions il faut être clair, précis et explicite afin de bien faire passer le message.

Dans d'autres circonstances, l'ambiguïté peut être extrêmement stimulante pour l'imagination. Lorsque vous êtes dans la phase embryonnaire du processus créatif, un brin d'ambiguïté peut vous « frapper » et vous amener à vous poser des questions, telles que :

Que se passe-t-il ?
Qu'est-ce que cela veut dire ?
De quelle autre manière puis-je l'interpréter ?

Ce sont des questions particulières, du type de celles que vous vous posez lorsque vous recherchez de nouvelles idées. Vous pouvez donc trouver la deuxième bonne réponse en regardant les choses de manière ambiguë. Par exemple, quelle est la moitié de 8 ? L'une des réponses possibles est 4. Mais si vous présumez que la question est ambiguë, vous rechercherez d'autres réponses telles que 0, 3 et « hu » ; tout dépend de la manière dont vous interprétez la question.

Exercice :
Que représente ce dessin ?

Si vous le regardez d'une certaine façon, il représente un oiseau ; en le regardant différemment, ce pourrait être un point d'interrogation ; si vous le retournez, il fait penser à un phoque qui jonglerait avec un ballon sur le nez. En choisissant une attitude volontairement ambiguë, vous générez plusieurs idées.

Au fait, comment êtes-vous sorti de l'exercice des six lettres ? Quel mot avez-vous trouvé ? Beaucoup étudient le problème et concluent : « D'accord, voilà une suite de seize lettres, et pour résoudre cet exercice, je dois en barrer six. Je suis donc à la recherche d'un mot de dix lettres », et c'est donc ce qu'ils font.

J'ai présenté cet exercice à un ami qui possédait un ordinateur. Il est rentré chez lui ce soir-là en se disant : « Je vais étonner Roger. Je vais écrire un programme qui élimine six lettres, puis laisserai l'ordinateur trouver la réponse. En attendant, je vais prendre une douche, et à mon retour, la réponse sera imprimée. » Quand il revint, il trouva un listing de dix mètres de long.

SAINXEAEER	BSAIXEEARS	BSINLEANEA
BINXLTEERS	AINXLEANEES	BANEATNTER
SINXEATNTE	BAINLATNER	SNLETNTARS
SANLATNTEER	INXLEANEAR	INXEATEARS
BSNXLENTAR	INLETNTARS	SAIXNTEARS
SANXATNTEE	SINXLETERS	SAILTNTEAR
NLEATNTEAS	IXLEATNTAS	SAINLATEER
IXLEATTEAR	BIXLETTEAR	BAINEETARS
SNXLETTEAR	BSNLENEARS	INEATNTEAR
BSAXLETARS	BLEATTEARS	INXATNTEAR
BAINNEANRS	SXLEATNTES	BINLATTEAR
SINLETNEAR	SIXATNTEAS	BSXLETTEAS
SNXLEATNRS	ANXLEATNES	AINLTNREAR
BAINXATEER	BAXLEATEER	BSIXLANERS

Il comprit immédiatement qu'il avait posé la mauvaise question à l'ordinateur. Vous pouvez avoir l'ordinateur le plus perfectionné du monde, si vous le programmez mal, il ne vous sortira que des conneries.

On peut résoudre ce problème en interprétant les instructions d'un point de vue ambigu. Il vous est demandé de « barrer six lettres » ? Vous pourriez interpréter l'exercice au pied de la lettre, c'est-à-dire barrer le « S », le « I », le « X », le « L », le « E », et ainsi de suite. En adoptant cette démarche il vous restera le mot :

BANANE

La conclusion est simple : si vous voulez trouver la deuxième bonne réponse, essayez de voir les choses avec ambiguïté. La classe de maternelle qui imaginait que la marque sur le tableau était un œil de hibou, un mégot de cigare, un haricot, en autres, était capable d'ambiguïté. Il en fut de même pour Picasso quand il se dit qu'un guidon de bicyclette

---

Note : Puisque ce livre préconise de rechercher la deuxième bonne réponse, je dois préciser qu'il y a au moins une autre solution à ce problème. En choisissant six lettres différentes — disons « B », « S », « A », « I », « N » et « X » (en l'occurrence les six premières) — et en les éliminant chaque fois qu'elles apparaissent, il vous restera le mot « LETTRES ».

représentait les cornes d'un taureau. Il en est de même pour vous s'il vous est arrivé d'utiliser une brique comme butoir de porte, de faire un accompagnement musical avec des fourchettes et des cuillères, d'utiliser des feuilles comme papier hygiénique, ou un stylo-bille comme perforateur. L'aptitude à trouver l'ambiguïté est un point important *de la pensée différente.*

LE MUR DE BOIS

Voici un autre exemple qui montre que l'ambiguïté peut avoir un effet sur notre esprit — si on y est réceptif. L'oracle de Delphes de l'Antiquité est probablement la source la plus célèbre de déclarations ambiguës. L'une des prophéties les plus célèbres de l'oracle eut lieu en 480 avant Jésus-Christ. Sous le règne de Xerxès, les Perses envahirent la Grèce et conquirent les deux tiers du pays. Les édiles d'Athènes s'inquiétèrent bien sûr de la ligne de conduite à adopter face à l'approche des Perses. Toutefois, avant qu'aucune décision ne fut prise, il convenait d'envoyer des messagers à Delphes consulter l'oracle. Ces derniers s'y rendirent et recueillirent la prophétie suivante :

Le mur de bois vous sauvera, vous et vos enfants.

Les envoyés rapportèrent ces paroles à Athènes. Les édiles ne surent d'abord comment interpréter la prophétie. Puis quelqu'un suggéra de construire un mur de bois sur l'Acropole derrière lequel on tiendrait une position défensive. Voilà ce que signifiait le « mur de bois » — une barricade sur l'Acro-

pole. Son interprétation était tout à fait logique.

Mais les édiles savaient que l'oracle était volontairement ambigu pour les contraindre à aller au-delà de la première bonne réponse. Ils essayèrent de penser à tous les contextes — à la fois littéral et métaphorique — dans lesquels les paroles — « Le mur de bois vous sauvera, vous et vos enfants. » — pouvaient avoir un sens.

Après un temps de réflexion, ils eurent une autre idée. Le « mur de bois », auquel l'oracle se référait, pouvait-il être l'alignement des navires athéniens ? En effet, les navires côte à côte pouvaient donner l'impression à distance d'un mur de bois. Les édiles décidèrent donc de livrer une bataille navale plutôt qu'une bataille terrestre.

En 479 avant Jésus-Christ, les Athéniens mirent les troupes perses en déroute dans la bataille de Salamine. L'ambiguïté de l'oracle avait forcé les Athéniens à chercher la deuxième bonne réponse.

Le général George S. Patton avait une opinion identique quant aux moyens de stimuler la créativité des gens. Il fit la déclaration suivante : « Si vous dites aux gens où aller, mais non comment y aller, vous serez surpris du résultat. » Il savait qu'un problème posé de manière ambiguë libérait l'imagination de ceux qui avaient à le résoudre.

Le célèbre architecte, Arthur Erickson, emploie cette même stratégie pour développer la créativité chez ses étudiants. Voici par exemple l'un de ses exercices. Amusez-vous à le faire.

Exercice :
Faites un dessin de vous-même dans une position de déséquilibre, puis essayez d'imaginer la chaise, le lit, etc., qui découlent de cette attitude.

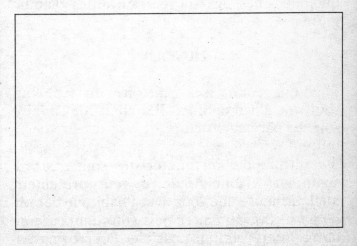

À la fin de cet exercice, Erickson indique à ses étudiants qu'ils viennent de dessiner des meubles. Comme il le dit lui-même :

Si j'avais dit aux étudiants : « Bon, nous allons dessiner une chaise ou un lit », ils auraient esquissé leur dessin sur la base de souvenirs qu'ils avaient de chaises ou de lits. Mais en faisant la démarche inverse pour aborder le modèle, j'ai pu leur faire prendre conscience des aspects fondamentaux des meubles.

Comme vous le voyez, il ne faut rien de plus parfois qu'une petite dose d'ambiguïté pour « frapper » votre esprit et le faire fonctionner à fond. Je souhaiterais donc vous prescrire quelques-unes des sources suivantes d'ambiguïté.

HUMOUR

Vous connaissez l'histoire du type qui souffrait d'hémophilie ? Il a choisi de se faire soigner par acupuncture.

La plupart des humoristes sont des présentateurs d'ambiguïté ; ils vous présentent quelque chose que vous avez l'habitude de voir d'une certaine manière puis vous donnent une autre interprétation possible. Pour comprendre la plupart des plaisanteries, il vous faut saisir l'ambiguïté de la situation. Voici un exemple que j'emprunte à Woody Allen :

Je voudrais juste dire un mot à propos de la « contraception par voie orale ». J'ai assisté à un très bon exemple de contraception par voie orale.

J'ai demandé à une fille de coucher avec moi et elle m'a dit : « Non. »

Qu'est-ce qui nous fait rire ? Pendant l'énoncé de la plaisanterie, notre pensée part dans une direction. Puis quand le mot de la fin est dit, nous percevons l'ambiguïté de la situation et tout l'humour de l'interprétation.

Voici un autre exemple :

Un spécialiste interroge une femme du monde qui se plaint de maux d'estomac :
— Vous mangez épicé, madame ?
— Docteur, répond-elle offusquée, je mange et... j'urine normalement !

Essayez d'utiliser l'humour pour vous mettre dans un état d'esprit créatif. J'ai découvert un moyen efficace qui consiste à écouter des disques de fantaisistes pendant une heure ou deux. Vous pouvez aussi vous installer dans un bon fauteuil avec quelques bandes dessinées d'humour. Après m'être livré à l'une des deux activités, je suis dans un bon état d'esprit pour penser « différemment ».

PARADOXES

Ce chapitre est paradoxal. J'ai dit d'une part que l'ambiguïté entraînait des problèmes de communication, d'autre part qu'elle aide à trouver des idées nouvelles. Quel est le dénominateur commun ? Les deux situations incitent les gens à penser.

C'est probablement ce qui a inspiré la remarque suivante au physicien Niels Bohr, quand il fut confronté à un problème délicat : « Il est merveilleux que nous soyons dans une situation paradoxale. À présent, il y a de fortes chances que nous fassions quelque progrès. » Bohr était conscient du fait que les paradoxes sont indispensables au processus créatif. Ils vous font sortir de vos pensées étroites et vous obligent à remettre en question vos présomptions. En effet, le fait même de « percevoir le paradoxe » constitue le noyau de la pensée créative — l'aptitude à concevoir en même temps deux notions différentes (et souvent contradictoires).

Je tiens à vous faire part de certains de mes paradoxes préférés.

☞ Soyez spontané !

☞ Le peu que je sache, je le dois à mon ignorance.

☞ Il n'y a rien de plus impensable que la pensée *à moins que cela ne* soit l'absence totale de pensée.
Samuel Butler.

☞ M. Dupond fut déçu de ne pas trouver de boîte de suggestions au club parce qu'il aurait souhaité y déposer une suggestion pour en faire placer une.

☞ Il n'y a que l'éphémère qui ait une valeur durable.
Ionesco.

☞ Un physicien n'a qu'un atome de connaissance sur les atomes.
George Wald.

☞ On ne peut laisser le hasard à la chance.
N. F. Simpson.

☞ Je ne maîtrise pas les notes mieux que beaucoup de pianistes. Mais les pauses entre les notes — ah, voilà où est l'art !
Schnabel.

☞ Une banque ne vous prêtera de l'argent que si vous pouvez prouver que vous n'en avez pas besoin.

☞ L'art est un mensonge qui nous fait prendre conscience de la vérité.
Picasso.

HÉRACLITE

En fin de compte, je pense que chacun devrait avoir sa propre source d'ambiguïté. Ce pourrait être une personne, un livre, une chose — peu importe — qui vous force à rechercher plus d'une signification pour comprendre ce qui se passe. L'une de mes sources est le philosophe grec Héraclite, qui vécut au Vᵉ siècle avant Jésus-Christ. Il fut surnommé par tous ses contemporains « l'Obscur ». Voici quelques-unes de ses pensées :

☞ Tout passe.

☞ L'eau de mer est la plus pure et la plus polluée : elle est potable et source de vie pour les poissons ; non potable et destructrice pour les hommes.

☞ Ils ne comprennent pas comment ce qui est en contradiction avec soi-même est aussi en parfait accord : l'harmonie naît de tensions contraires : celle de l'arc et de la corde, celle de la lyre et des cordes.

☞ La voie ascendante et la voie descendante sont une seule et même chose.

☞ Si tout se transformait en fumée, le nez serait l'organe de discernement.

☞ Si vous ne vous attendez pas à l'inattendu, vous ne le trouverez pas, car il n'est accessible ni par la recherche ni par la voie.

☞ Pour ceux qui sont éveillés, il y a un univers ordonné commun à tous, tandis que dans le sommeil chacun se détourne de ce monde pour plonger dans le sien propre.

☞ L'homme ne s'attend pas ou n'imagine pas ce qui l'attend après la mort.

☞ Le temps est un enfant qui joue aux dames : le pouvoir est entre les mains de l'enfant.

☞ Ce n'est pas bon pour l'homme de parvenir à ce qu'il souhaite.

☞ L'homme est davantage lui-même quand il parvient au sérieux de l'enfant qui joue.

☞ Le caractère d'un homme est sa destinée.

☞ J'ai recherché en moi-même.

☞ Les amoureux de la sagesse doivent se rechercher sur un bien grand nombre de choses.

Je lis Héraclite depuis plus de quinze ans et il n'a jamais manqué de stimuler ma pensée.

Je vous propose de rechercher votre propre source d'ambiguïté et de la cultiver comme une ressource précieuse.

Il doit être clair à présent que la conception d'idées n'est pas accidentelle comme la plupart le pensent. Vous *pouvez* améliorer votre moyenne de conception d'idées grâce à de tels outils.

CONCLUSION

Nous avons pour la plupart appris à « éviter l'ambiguïté » à cause des problèmes de communication qui peuvent en découler. Ceci est totalement fondé dans les situations pratiques où les conséquences d'un tel malentendu seraient graves. Ainsi, un chef des pompiers qui doit faire face simultanément à trois incendies, se doit de donner des ordres avec la plus grande clarté afin qu'il n'y ait pas d'équivoque possible.

Dans les situations embryonnaires, toutefois, le danger subsiste qu'une précision trop grande puisse paralyser votre imagination. Supposons que le même sapeur-pompier vous demande d'exécuter une peinture murale sur le bâtiment de la caserne de pompiers. S'il vous fait une description exacte de ce qu'il souhaite jusque dans les moindres détails, il ne laissera aucune place à votre imagination. Si la tâche qui vous est assignée était formulée de manière quelque peu ambiguë, vous auriez alors une plus grande marge de pensée. En d'autres termes, il y a une place pour l'ambiguïté — une petite place quand vous mettez des idées en pratique, mais une place importante quand vous les recherchez.

☐ *Conseil n° 16*

Profitez de l'ambiguïté qui existe autour de vous. Regardez une chose et réfléchissez à ce qu'elle pourrait être d'autre.

☐ *Conseil n° 17*

Si vous soumettez à quelqu'un un problème qui peut être résolu de manière créative, essayez donc — au moins au début — de le poser de manière ambiguë afin de ne pas restreindre son imagination.

☐ *Conseil n° 18*

Cultivez vos propres sources d'ambiguïté qui peuvent être des personnes, des livres, etc., toutes choses qui vous obligent à rechercher plus d'une signification afin de comprendre les événements.

☐ *Conseil n° 19*

Ayez recours à l'humour pour vous placer, vous ou votre groupe, dans un état d'esprit créatif.

☐ **Conseil n° 20**

Faites une définition de poste volontairement ambiguë pour un emploi que vous pourriez occuper. Trouvez trois interprétations possibles.

6

"IL NE FAUT PAS SE TROMPER"

Succès et Échecs

Au cours de l'été 1979, Carl Yastrzemski, de l'équipe de base-ball des « Red Sox » de Boston, fut le quinzième joueur dans l'histoire du base-ball à dépasser le score de trois mille points. Cet événement attira toute l'attention des média, et une semaine environ avant qu'il n'atteigne ce score, des centaines de reporters couvraient déjà chacun des faits et gestes de Yaz. Un reporter lui demanda même : « Hé, Yaz, tu n'as pas peur que toute cette gloire finisse par te monter à la tête ? » Yastrzemski répondit : « Écoute mon vieux, dans ma carrière j'ai donné plus de dix mille coups de batte, ce qui signifie que j'ai quand même eu plus de sept mille échecs. Rien que ça, me permet de garder les pieds sur terre. »

La plupart des gens considèrent que le succès et l'échec sont des contraires, alors qu'ils sont tous deux le produit d'un même processus. Comme le laisse entendre Yaz, une activité qui apporte un succès, peut aussi aboutir à un échec. Il en va de même avec la pensée créative ; la même énergie qui engendre les bonnes idées créatives peut aussi produire des erreurs.

En général, toutefois, nous n'aimons pas beaucoup les erreurs. Notre système d'éducation, basé sur le principe de « la bonne réponse », cultive notre esprit de manière très conservatrice. Dès notre plus jeune âge, on nous apprend que les bonnes réponses, c'est bien, et que les réponses fausses, c'est mal. Tout ceci apparaît clairement dans le système de récompense en vigueur dans la majorité des établissements scolaires :

Correct à plus de 90 % = A
Correct à plus de 80 % = B
Correct à plus de 70 % = C
Correct à plus de 60 % = D
Correct à moins de 60 % = Vous échouez.

En conséquence, nous apprenons à répondre juste aussi souvent que possible et à faire le minimum d'erreurs. En d'autres termes, nous apprenons qu'il « *ne faut pas se tromper* ».

NE PAS SE MOUILLER

Ce genre d'attitude n'encourage pas à prendre beaucoup de risques. Quand vous apprenez que vous êtes pénalisé dès que vous vous trompez un peu (par exemple 15 % d'erreurs seulement et vous n'obtenez qu'un « B »), vous cherchez à ne plus faire d'erreurs. Et surtout, vous apprenez à ne pas vous met-tre dans des situations qui peuvent vous mener à l'échec. Ceci conduit à un mode de pensée conservateur, conçu pour éviter le désaveu que notre société porte à « l'échec ».

Une de mes amies est récemment sortie diplômée d'une école de journalisme. Elle cherche un emploi depuis six mois, mais sans résultat. J'en ai parlé avec elle et j'ai compris que le problème est qu'elle ne sait pas « échouer ». Elle a fait dix-huit ans d'études sans jamais échouer à un examen, un concours, un partiel, un quiz ou un examen de sortie. À présent, elle recule devant toute entreprise dans laquelle elle pourrait échouer : Elle n'ose pas se « mouiller ». Elle a été conditionnée à penser que l'échec est un mal en lui-même, plutôt qu'un tremplin possible vers de nouvelles idées.

Regardez autour de vous. Combien de cadres moyens, mères de famille, patrons, professeurs, et tant d'autres qui ont peur de tenter quelque chose de nouveau par peur de l'échec ? Nous avons appris à ne pas faire d'erreurs en public. En conséquence, nous nous détournons de multiples expériences qui pourtant nous seraient bénéfiques, pour ne retenir que celles qui ont lieu en privé.

UNE LOGIQUE DIFFÉRENTE

D'un point de vue pratique, il n'est pas absurde de dire qu'« il ne faut pas se tromper ». Notre survie dans le monde quotidien exige que nous exécutions mille petites tâches sans nous tromper. Pensez-y : vous n'iriez pas très loin si vous deviez traverser n'importe où et n'importe quand, ou plonger la main dans une casserole d'eau bouillante. Les ingénieurs dont les ponts s'écroulent, les agents de change qui perdent l'argent de leurs clients et les publicitaires dont les campagnes font baisser les ventes ne gardent pas leur emploi très longtemps.

Néanmoins, si vous croyez trop fermement qu'il n'est pas bien de se tromper, vous serez forcément limité pour concevoir de nouvelles idées. Si vous êtes davantage préoccupé par donner de bonnes réponses, plutôt que de concevoir des idées originales, vous risquez d'utiliser bêtement des règles, formules et procédés pour obtenir ces bonnes réponses. En procédant ainsi, vous sauterez la phase embryonnaire du processus créatif, et passerez donc peu de temps à remettre en cause vos présomptions, violer les règles, vous demander « Et si...? », ou simplement considérer le problème sous tous ses angles. Toutes ces techniques pourront conduire à des réponses fausses, mais dans la phase embryonnaire, les erreurs sont considérées comme un sous-produit nécessaire de la pensée créative. Comme le dirait Yaz : « Si c'est le succès que vous recherchez, préparez-vous d'abord à l'échec. » C'est toute la philosophie du Grand Jeu de la Vie.

LES ERREURS COMME TREMPLINS

Quand une erreur survient, la réaction habituelle est « Zut ! Encore un flop, qu'est-ce qui s'est passé cette fois ? » Le penseur créatif, de son côté, réalisera la valeur potentielle des erreurs, et dira peut-être quelque chose comme : « Voyons voir. Qu'est-ce que je peux en déduire ? » Puis il ou elle utilisera cette erreur comme tremplin vers une nouvelle idée. En fait, l'histoire des découvertes est pleine de personnes qui utilisèrent des présomptions fausses et des échecs comme tremplins vers de nouvelles idées. Christophe Colomb crut avoir trouvé un raccourci pour l'Inde. Johannes Kepler tomba sur l'idée de la gravitation universelle, grâce à des présomptions justes, mais pour des raisons fausses. Et Thomas Edison trouva 1 800 manières de *ne pas* fabriquer une ampoule.

L'histoire suivante illustre la démarche qui consiste à partir de fausses présomptions pour aboutir à de bonnes idées. En 1912, alors que l'industrie de l'automobile en était à son balbutiement, l'ingénieur Charles Kettering cherchait le moyen d'améliorer l'efficacité du moteur à essence. Le problème qui se posait à lui était celui du « cliquettement », le phénomène par lequel l'essence brûle trop lentement dans le cylindre — réduisant ainsi l'efficacité du moteur.

Kettering se mit à la recherche de moyens d'éliminer le « cliquettement ». Il se dit : « Comment puis-je provoquer plus tôt la combustion dans le cylindre ? » Le concept clef ici est « tôt ». En recherchant des situations analogues, il se mit à recenser des modèles de « choses qui viennent tôt ». Il pensa aux modèles historiques, physiques et biologiques. Il finit par se souvenir d'une plante particulière, l'arbousier, qui « vient tôt », puisqu'elle s'épanouit sous la neige, « plus tôt » que d'autres plantes. L'une des caractéristiques principales de cette plante sont ses feuilles rouges qui lui permettent de retenir la lumière sur certaines longueurs d'onde : Kettering pensa que c'était la couleur rouge qui faisait épanouir l'arbousier plus tôt. Pour Kettering, c'était le moment critique d'enchaînement des idées. Il se dit : « Comment rendre l'essence rouge ? Peut-être que si je mets une teinture rouge dans l'essence, celle-ci brûlera plus tôt. » Il chercha en vain une teinture rouge dans son atelier. Mais il trouva de l'iode, ce qui pouvait peut-être faire l'affaire. Il versa

l'iode dans l'essence et mit le moteur en marche. Il n'y eut pas de « cliquettement ».

Quelques jours plus tard, Kettering voulut s'assurer que c'était bien la couleur rouge de l'iode qui avait résolu le problème. Il acheta de la teinture rouge et la versa dans l'essence. Aucun résultat ! Kettering réalisa alors que ce n'était pas la « teinte rouge » qui avait résolu le problème du « cliquettement » mais les propriétés de l'iode. Dans ce cas, une erreur s'était révélée être un tremplin pour une meilleure idée. S'il avait su dès le départ que la couleur rouge ne pourrait résoudre son problème, il n'aurait peut-être pas été conduit à s'intéresser aux additifs contenus dans l'iode.

FEEDBACK NÉGATIF

Les erreurs ont un autre but utile : elles nous disent quand changer de direction. Quand tout marche comme sur des roulettes, nous n'y pensons pas. Certainement parce que nous fonctionnons selon le principe du feedback négatif. C'est généralement lorsque les gens ou les choses connaissent un échec que nous nous intéressons à eux. Par exemple, vous ne pensez pas en ce moment à vos rotules ; c'est que tout va bien de ce côté. Il en va de même avec vos coudes : ils remplissent aussi leur fonction, sans aucun problème. Mais si vous vous cassiez la jambe, vous remarqueriez immédiatement toutes les choses que vous ne pouvez plus faire, et qui vous semblaient normales et définitivement acquises.

Le feedback négatif signifie en fait que la démarche actuelle n'est pas la bonne, et qu'il vous faut donc en trouver une autre. Nous apprenons par tâtonnements et non par certitudes. Si nous faisions tout correctement, nous n'aurions jamais à changer de direction — nous poursuivrions la même voie et obtiendrions toujours les mêmes résultats.

Par exemple, au printemps de 1978, quand le pétrolier géant *Amoco Cadiz* se disloqua au large de la côte bretonne, et déversa des centaines de milliers de tonnes de pétrole, l'industrie pétrolière fut amenée à remettre en cause un grand nombre de ses normes de sécurité concernant le transport de pétrole. La même chose eut lieu en 1979 après l'accident survenu à un réacteur nucléaire de la centrale de Three Mile Island — toutes les normes de procédure et de sécurité furent modifiées.

Neil Goldschmidt, ancien Secrétaire d'État aux Transports, fit le commentaire suivant sur le Bay Area Rapid Transit (BART) — système ferroviaire ultra-moderne souterrain, qui dessert San Francisco et les alentours.

Il est aujourd'hui de bon ton dans le pays de dénigrer le BART sans reconnaître l'intérêt et l'originalité de l'approche qui est à son origine. Le BART a été un enseignement pour le pays tout entier. Ses leçons nous ont servi à Washington, Atlanta, Buffalo et dans d'autres villes où nous mettons en place des systèmes de transport rapide. L'un des enseignements que nous en avons tirés est qu'il ne faut pas construire un système comme le BART.

Nous apprenons par nos échecs. Les erreurs d'une personne sont les butoirs qui la conduisent à penser « différemment ».

N'AYEZ PAS PEUR DE VOUS TROMPER

Votre pourcentage d'erreurs dans toute activité est fonction de votre familiarité avec cette activité. Si vous appliquez une routine qui a fait ses preuves, il se peut que vous fassiez très peu d'erreurs. Mais si vous faites des choses dont vous n'avez pas l'expérience ou que vous essayez différentes démarches, vous ferez un certain nombre d'erreurs. Les innovateurs ne réussissent pas à tous les coups — loin de là — mais ils trouvent des idées nouvelles.

Le directeur de la création d'une agence de publicité m'a dit qu'il n'était pas heureux à moins d'échouer dans la moitié de ce qu'il faisait. Comme il le dit : « Si vous voulez être original, il vous faut vous tromper beaucoup. »

L'un de mes clients, le président d'une société d'informatique en pleine expansion, dit à ses employés : « Nous sommes des innovateurs. Nous faisons des choses que personne d'autre n'a jamais faites auparavant. Par conséquent, nous allons faire des erreurs. Je vous donne ce conseil : faites les erreurs que vous devez faire, mais faites-les rapidement. »

Un autre de mes clients, le directeur d'un département d'une entreprise industrielle, demanda à son adjoint quel pourcentage de leurs nouveaux produits se vendrait avec suc-

cès. La réponse qu'il reçut fut « environ 50 % ».
Le directeur répliqua : « C'est trop élevé. 30 %
est un meilleur objectif ; sinon nous serons
trop conservateurs dans notre planning. »

De même, on dit, dans le secteur bancaire,
que si un directeur d'agence n'a jamais de problème avec les prêts qu'il consent, c'est signe
qu'il n'est pas assez agressif sur le marché.

Thomas J. Watson, fondateur d'IBM, re-
joint cette opinion quand il dit : « Le seul
moyen de réussir, c'est de doubler votre taux
d'échecs. »

Ainsi, les erreurs sont tout au moins un
signe que nous divergeons de la voie principale et essayons différentes approches.

LES ERREURS DE LA NATURE

La nature illustre bien de quelle manière la méthode essais/erreurs peut être utilisée pour amener des changements. De temps en temps, se produisent des mutations génétiques — des erreurs dans la reproduction des gènes. La plupart du temps, ces mutations ont un effet délétère sur les espèces, et sont donc condamnées. Mais il arrive qu'une mutation procure à l'espèce un effet bénéfique et que cette mutation soit donc transmise aux générations futures. L'abondante variété des espèces existantes est due à ce processus d'essais/erreurs. S'il n'y avait jamais eu de mutations depuis la première amibe, où en serions-nous à présent ?

CONCLUSION

Certains endroits se prêtent mal aux erreurs, mais la phase embryonnaire du processus créatif n'en fait pas partie. Les erreurs sont le signe que vous divergez du bon chemin. Mais s'il ne vous arrive pas d'échouer de temps à autre, c'est le signe que vous n'êtes pas très innovateur.

☐ *Conseil nº 21*

Si vous faites une erreur, utilisez-la comme tremplin pour une nouvelle idée que vous n'auriez peut-être pas eue autrement.

☐ *Conseil nº 22*

Sachez distinguer les erreurs intervenues au cours de « *mission* » de celles commises par « *omission* ». Ces dernières peuvent être plus coûteuses que les premières. Si vous ne faites pas beaucoup d'erreurs, vous devriez vous poser cette question : « Combien d'opportunités est-ce que je rate en n'étant pas plus agressif ? »

☐ *Conseil nº 23*

Développez votre « muscle du risque ». Tout le monde en a un, mais il faut le faire travailler, sinon il s'atrophie. Faites en sorte de prendre au moins un risque par jour.

□ *Conseil nº 24*

Souvenez-vous des bénéfices que vous pouvez
retirer d'un échec. D'abord, vous apprenez ce
qui ne marche pas, et deuxièmement, l'échec
vous donne la possibilité d'essayer une autre
démarche.

7

"JOUER, C'EST PAS SÉRIEUX"

LE MOMENT DE LA CONCEPTION

Exercice :

Dans quelles circonstances avez-vous des idées ? Par exemple, pendant un travail de routine, en répondant à une question, pendant ou après un exercice physique, tard dans la nuit, en conduisant, en compagnie d'autres personnes, etc.

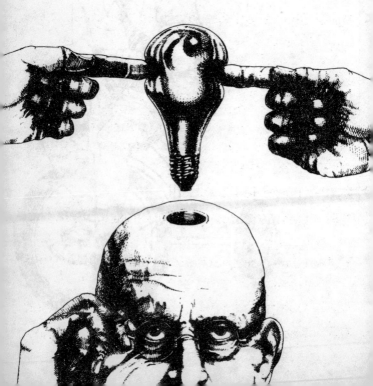

J'ai posé cette question à des milliers de gens. Les réponses obtenues peuvent être classées en deux catégories. La première c'est la « nécessité », et elle apparaît dans les réponses suivantes :

☞ « Quand je suis confronté à un problème. »

☞ « Quand un appareil est en panne et que je dois le réparer. »

☞ « Quand il faut répondre à un besoin. »

☞ « Quand on est au pied du mur, c'est l'ultime inspiration. »

Ces réponses confirment le vieil adage anglais, « *la nécessité est mère de l'invention* ». Mais il est tout aussi intéressant de noter qu'autant sinon plus de gens trouvent leurs idées dans des situations radicalement opposées, comme en témoignent ces réponses :

☞ « Quand je glandouille. »

☞ « Quand je fais quelque chose qui n'a rien à voir. »

☞ « Quand je tourne le problème dans tous les sens. »

☞ « Quand je ne me prends pas au sérieux. »

☞ « Après mon deuxième verre. »

J'en conclus que si « *la nécessité est mère de l'invention* », le jeu en est certainement le *père*. Comme il a été mentionné dans le chapitre d'ouverture, une attitude de jeu est fondamentale à toute pensée créative. En fait je suis prêt à parier que la plupart de vos nouvelles idées vous viennent quand vous jouez dans votre cour de récré intérieure. C'est parce que toutes vos défenses ont disparu, que vos verrous sont ouverts, et que vous vous préoccupez peu des règles, du sens pratique, ou de vous tromper.

JOUER ET APPRENDRE

Dans la vie, les choix qui s'offrent généralement à vous sont du type gagné/perdu : si vous ne gagnez pas, vous perdez. Ceci est vrai dans la plupart des jeux, épreuves sportives, élections, jeux de pile ou face, paris, disputes, etc. Quand vous jouez, toutefois, c'est une logique différente qui s'applique : celle de gagner ou de ne pas gagner. Cette différence est importante parce qu'elle signifie qu'au lieu d'être pénalisés pour nos erreurs, nous en tirons un enseignement. Ainsi, quand nous gagnons, nous gagnons, dans le cas contraire, nous apprenons. C'est un contrat tout à fait honnête : la seule chose que vous perdez quand vous jouez, c'est le temps passé.

Les enfants savent que le jeu est un bon moyen d'apprendre. Regardez des gosses en train de jouer avec un ballon de football. Ils se le font passer, jonglent avec, s'amusent, et, ce qui est plus important encore, améliorent leur jeu. Regardez les mêmes jouer avec un ordinateur. Ils vont en essayer toutes les possibilités. Très vite, ils deviennent forts.

Les Grecs anciens savaient qu'on apprend en jouant. Leur concept de l'éducation *(paideia)* est pratiquement identique à leur concept du jeu *(paidia)*. C'est peut-être ce à quoi Platon pensait quand il disait : « Quelle est donc la juste façon de vivre ? La vie doit être vécue comme un jeu. » Si vous jouez, vous continuez à apprendre et à vivre.

JOUER ET TRAVAILLER

Pour certains, toutefois, si vous êtes en train de jouer avec quelque chose, il vous est difficile de prétendre que vous êtes en train de travailler dessus. Ils disent : « Arrêtez de vous amuser et mettez-vous au travail. » Ils considèrent que travailler et jouer sont deux choses bien définies et distinctes ; si vous n'obtenez pas de résultats tangibles, c'est que vous ne travaillez pas. Pour eux, « jouer, c'est pas sérieux. »

L'un de mes clients, informaticien, déclare à ce sujet : « Je gagne ma vie en jouant ; mon travail consiste en fait à mettre en forme les résultats de ce jeu. » Il a compris qu'il y avait deux aspects dans le processus créatif. Le côté « jeu » lui permet d'essayer plusieurs approches (qui peuvent être traditionnelles, fantastiques, folles) dans le but de retenir celles qui marchent et de s'en servir pour donner naissance à de nouvelles idées. Le côté « travail » lui permet de saisir ce qu'il a appris, de l'évaluer, d'utiliser ses connaissances pour confirmer ses découvertes, et de mettre le tout en forme de la manière la plus pratique.

Un autre client, un designer de satellites, me raconta qu'au cours d'une réunion, tout le monde était d'humeur très enjouée. Les gens commencèrent à se moquer du satellite. Ils firent des plaisanteries d'un goût douteux et jouèrent autour de la notion même de satellite. La réunion s'avéra être la plus fructueuse depuis longtemps. La semaine d'après, l'atmosphère était redevenue plus sérieuse et aucune nouvelle idée ne fut trouvée.

Une Ambiance Sympa

Jouer, c'est d'abord s'amuser, et quand on s'amuse on est particulièrement motivé. J'ai remarqué qu'on était beaucoup plus productif dans son travail lorsque l'ambiance générale était à la détente et à l'amusement. Ceux qui aiment le travail qu'ils font sont beaucoup plus créatifs que les autres.

Le président d'une société qui fabrique des microprocesseurs, m'a déclaré un jour que le jeu et l'amusement étaient l'une des clefs de son succès. « Quand j'embauche de nouveaux collaborateurs je me préoccupe moins de leur niveau intellectuel ou de leur efficacité que de leur aptitude au jeu et de la force de leur personnalité. Ce sont ceux-là qui trouvent de nouvelles idées. » J'ajouterai que le mot « enthousiasme » a pour origine le mot grec *enthousiasmos* qui signifie « Le Dieu en vous ». Les personnes enthousiastes semblent avoir accès à un esprit qui est la source de leur inspiration.

Un autre client m'a dit ceci à propos de la relation étroite qui existe entre jeu et innovation : « L'humour, la légèreté et le jeu ont une place dans ce monde. La plupart des grandes sociétés devraient se souvenir qu'elles ont commencé avec une personne qui s'amusait dans son atelier. Malheureusement trop de dirigeants ont aujourd'hui éliminé de leur travail l'amusement et l'humour et donc la créativité. »

Je dédie à ces personnes le credo de Laroff :

Il importe moins d'être sérieux que d'être sérieux à propos de choses importantes. Le singe affiche un air sérieux qui ferait concurrence à n'importe quel savant. Mais le singe est sérieux parce qu'il a toujours envie de se gratter.

LE TREMPLIN DE MOEBIUS

Certaines des inventions et des idées les plus importantes ont été conçues dans un but ludique — leur valeur pratique ne devait être découverte que plus tard.

La bande de Moebius, en est un bon exemple ; il s'agit d'une surface à un seul côté aux nombreuses propriétés inattendues. Le mathématicien et astronome allemand, August Ferdinand Moebius (1790-1868), est à l'origine de cette idée topologique.

Vous pouvez construire une bande Moebius avec une longue bande de papier dont vous faites une boucle. Avant de relier les deux extrémités, exercez une torsion sur l'une d'elles. Cette boucle n'a maintenant qu'un côté. Pour vous en convaincre, prenez un crayon et dessinez une ligne tout le long de la boucle. Vous parviendrez à votre point de départ en ayant couvert la boucle entière, prouvant ainsi qu'elle n'a qu'un seul côté. (Elle n'a aussi qu'un seul bord !).

À présent, prenez une paire de ciseaux et découpez la bande le long de la ligne que vous venez de tracer. Qu'en résulte-t-il ? Quand elles sont coupées en deux, la plupart des boucles forment deux boucles plus petites. Mais ce n'est pas le cas avec la bande de Moebius — elle se transforme en une boucle deux fois plus longue (avec maintenant deux côtés, donc ce n'est plus une bande de Moebius).

A présent, essayez de découper la bande de Moebius en trois.

Vous aurez une autre surprise : deux boucles entrelacées dont l'une a deux côtés, et l'autre est une bande de Moebius.

Longtemps la bande de Moebius fut considérée comme « un jeu de topologie » — un amusement agréable mais rien de plus. Depuis une quarantaine d'années toutefois, on a trouvé des applications pratiques à la bande de Moebius. L'industrie du caoutchouc utilise la bande de Moebius pour les convoyeurs à bande. La bande dure plus longtemps parce que les deux côtés ne font qu'un et sont soumis à la même usure. Les électroniciens ont découvert qu'une résistance en forme de bande de Moebius remplissait ses fonctions plus efficacement. Une boucle continue dans une cassette donnera une durée d'écoute double si elle a une torsion. Les chimistes tentent de fabriquer des molécules qui auraient la forme d'une bande de Moebius. Quand elles se divisent, elles grandissent au lieu de rétrécir.

DE LA SOUPLESSE
DANS L'APPROCHE DES PROBLÈMES

Pour conclure ce chapitre sur le jeu, il est tout naturel que je vous pose quelques problèmes avec lesquels vous pourrez vous amuser. Chaque problème est une équation qui peut être résolue en substituant les mots appropriés aux lettres. Amusez-vous bien !

Exemples : 52 S. = 1A. (52 semaines font une année.)
1T. à 4F. = B.C. (1 trèfle à quatre feuilles = Bonne Chance.)

1. 76 + 77 + 92 + 75 + 91 + 94 + 78 + 93 = I. de F.

2. 8 J. — 24 H. = 1 S.

3. 3 P. = 6

4. 23 A. — 3 A. = 2 D.

5. 4 R. + 4 D. + 4 V. = Toutes les F.

6. H. — 8 = Z.

7. M. + J. + V. + S. + D. + L. + M. = 1 S.

8. 8 + 8 + 8 = T. — S.

9. « P. de N. = B.N. »

10. 577 D. = A.N.

11. N. au B. = P. aux T.

12. H. + 2 J. = D.

13. N. + 6 J. = N.A.

14. A. — P. — E. — A. = H.

15. A. et E. étaient au P. T.

16. 1 + 62 = 1 M.

17. G. P. + F. M. = 2 P. de la R. F.

18. 130 = V. L. sur A.

CONCLUSION

Si la nécessité est mère de l'invention, le jeu en est le père. Sachez jouer pour rendre votre esprit fertile.

□ *Conseil n° 25*

La prochaine fois que vous aurez un problème, jouez avec.

□ *Conseil n° 26*

Si vous n'avez pas de problème, prenez quand même le temps de jouer. Il se peut que vous trouviez de nouvelles idées.

□ *Conseil n° 27*

Faites de votre travail un endroit sympa.

8
"JE N'Y CONNAIS RIEN"

LA CELLULE PHOTOVOLTAÏQUE

Une technicienne travaillant dans un laboratoire de recherche sur l'énergie solaire se trouve confrontée à un problème. Son laboratoire a entrepris des recherches sur une nouvelle matière pour cellule photovoltaïque, l'arsine de gallium. Mais elle a des difficultés au niveau du découpage de cette cellule. En effet, elle doit faire des coupes très précises dans le matériau au moyen d'une scie circulaire à très grande vitesse. Mais à chaque fois qu'elle coupe, le matériau se fissure. Elle change la position de la scie. Le matériau se fissure toujours. La voilà frustrée.

Pendant le week-end, elle observe son mari en train de fabriquer des meubles de rangement dans son atelier. Elle remarque que pour faire des coupes précises dans certaines espèces de bois, il *réduit* (plutôt que d'augmenter) la vitesse de coupe de la scie. Ce qui lui donne l'idée de faire de même avec l'arsine de gallium. Cette fois, ça marche.

Ce qu'a fait cette femme est très important en matière de pensée créative ; elle a « reconnu » l'idée clef d'une situation et l'a appliquée à une autre. Il est extrêmement avantageux de transférer à un domaine particulier les connaissances acquises dans un autre domaine. Alors pourquoi ne le faisons-nous pas plus souvent ?

D'abord à cause de la spécialisation. Il est essentiel de se spécialiser pour pouvoir gérer l'information. Il se passe tant de choses autour de nous qu'il nous est impossible de faire attention à tout. À chaque instant, notre système nerveux est bombardé d'environ 100 000 bits d'information. Si nous répondions à toute cette information, notre système nerveux disjoncterait. Imaginez une huître qui essaierait de filtrer tous les dépôts en suspension dans la Baie de San Francisco. Elle ne pourrait pas. Ainsi, la spécialisation a l'avantage de nous permettre de réduire la quantité d'informations reçue qui est sans intérêt pour nous.

De même, il est nécessaire de se spécialiser pour réussir ici-bas. Vous devez restreindre votre domaine de connaissance, devenir un expert, pour prétendre réussir dans ce que vous entreprenez — les affaires, le sport, les études, la technologie ou la cuisine. Voyez ce qui se passe en Rugby : autrefois, les postes arrières étaient interchangeables. On pouvait jouer aussi bien au centre qu'à l'aile ou à l'arrière. Aujourd'hui, il y a des ailiers droits et des ailiers gauches, des premiers et seconds centre, des buteurs de près, de coin, de droite et de gauche, etc.

De même en matière de comptabilité : il y a les spécialistes en fiscalité, les spécialistes en gestion, ceux en immobilier, les commissaires aux comptes, etc. Et plus les choses se compliquent, plus les cloisons s'élèvent. Quand j'étais étudiant, je connaissais un biologiste spécialisé dans la vie marine qui était incapable de parler avec un biologiste moléculaire du fait de leur spécialisation respective. La situation est la suivante : les gens savent de plus en plus de choses sur de moins en moins de sujets.

Toutefois la spécialisation est dangereuse en tant que stratégie pour la pensée créative car elle peut mener à l'attitude « Je n'y connais rien. » Le cas échéant, une personne risque non seulement de limiter ses problèmes à un domaine trop restreint, mais aussi de cesser de rechercher des idées dans d'autres domaines.

L'Accumulateur Bleu

Combien de fois vous est-il arrivé d'entendre dire : « C'est un problème d'ingénierie », « C'est un problème comptable », ou « C'est un problème de marketing » ? Nous entendons ça tous les jours. Toutefois, il y a peu de problèmes qui relèvent purement de l'ingénierie ; la plupart sont des problèmes d'ingénierie, de production, et peut-être même de marketing. Mais dès que quelqu'un dit : » Je n'y connais rien », ce n'est certainement pas la complexité des problèmes entre eux qu'il rejette.

Voici un exemple de ce qu'une telle attitude peut entraîner. L'un de mes clients industriels, achetait ses accumulateurs auprès d'un fournisseur exclusif. Ces accumulateurs étaient destinés à être intégrés à un circuit produit par sa société. En général les responsables de production se donnent beaucoup de mal pour éviter que les pièces ne proviennent que d'un seul fournisseur. Leur raisonnement est le suivant : quand il n'y a qu'un fournisseur pour une pièce particulière, une usine entière peut être arrêtée en cas de problème chez ce fournisseur.

Tout marchait comme sur des roulettes jusqu'à ce que ce fournisseur ait justement des problèmes de production qui l'empêchèrent de satisfaire à la demande. Mon client passa beaucoup de temps à essayer de dénicher d'autres accumulateurs absolument identiques, mais sans succès. Finalement, après s'être adressé à tous les échelons de la direction, il retourna au service technique voir si ce type même d'accumulateur était essentiel ou s'il était possible d'utiliser un modèle de remplacement. Quand on demanda à l'ingénieur responsable du design pourquoi cet accumulateur précis avait été choisi, il répondit : « Je l'ai choisi parce qu'il est bleu, et que je trouvais ça joli sur le circuit. » Le designer ne s'était jamais demandé quelles pourraient être les conséquences d'un tel choix sur le processus de production. Ses œillères l'avaient empêché de réfléchir à l'éventualité d'un tel problème.

La même chose se passe dans d'autres professions. L'un de mes beaux-frères est médecin. Il m'a dit avoir remarqué chez certains médecins une tendance à considérer leurs patients du point de vue de leur spécialité. Par exemple, les chirurgiens orthopédiques qui ont cette attitude, ne voient pas en leurs patients des êtres humains, mais un ensemble d'os ; pour les cardiologues les patients sont soit des cœurs malades soit des cœurs sains, etc. Ils oublient le rôle que joue le mental dans toute guérison. En réaction à cela nous assistons à la percée de la médecine douce.

PASSER LES FRONTIÈRES

J'ai été consultant pour l'industrie du cinéma et de la télévision, la publicité, les technologies de pointe, le marketing, l'intelligence artificielle, etc. J'ai trouvé un dénominateur commun à chacune de ces cultures : chacune prétend être la plus créative et que ses membres ont un don particulier pour trouver de nouvelles idées. Je trouve cela très bien ; l'esprit de corps contribue à créer un bon environnement de travail. Mais je pense aussi que ceux qui s'occupent de télévision pourraient apprendre beaucoup des informaticiens, et que les chercheurs pourraient puiser pas mal d'idées dans la publicité.

Chaque culture, industrie, discipline, et société a sa propre manière de traiter les problèmes, ses propres métaphores, modèles et méthodologies. Mais les idées viennent souvent quand vous franchissez les limites de votre discipline. Et que vous allez rechercher dans d'autres domaines de nouvelles idées et de nouvelles questions. Bien des progrès considérables dans l'art, les affaires, la technologie, et les sciences ont été obtenus grâce à l'échange d'idées. En conséquence, pour faire stagner un domaine, rien n'est plus efficace que de le couper de toute influence extérieure.

Voici quelques exemples qui montrent comment certains ont eu des idées dans un domaine et les ont utilisées dans un autre pour faire des découvertes.

☞ Le directeur d'une société qui travaille pour l'aérospatiale m'a dit qu'il s'était pris d'une véritable passion, plusieurs années auparavant, pour la conception et la construction de chutes d'eau dans son jardin. « Je ne sais pas pourquoi », dit-il, « mais le fait de concevoir des chutes d'eau a fait de moi un meilleur directeur. Ça m'a vraiment fait toucher du doigt les notions de " flux ", " mouvement ", et " vibration " qui sont difficiles à exprimer mais qui sont importantes pour la communication entre les personnes. »

☞ J'ai lu récemment un article sur un moyen contraceptif mis au point par un gynécologue en collaboration avec un dentiste. Une association inhabituelle ! O.K. pour le gynécologue, car qui d'autre est spécialisé dans l'anatomie de la femme ? Mais le dentiste ? Le dentiste ne l'oublions pas, passe une bonne partie de son temps à travailler sur des formes, des composants et des moules. Ce type de connaissances est habituellement hors de portée des gynécologues.

☞ Le promoteur immobilier Frank Morrow
explique qu'il s'est formé à ce métier de
manière inattendue alors qu'il était étudiant à
la *Graduate School of Business* de Stanford.
« J'ai assisté à tous les cours de marketing,
finance, comptabilité, etc., mais j'ai beaucoup
plus appris en matière d'affaires lors d'un
cours de dessin donné par Nathan Olivera.
L'enseignement d'Olivera était le suivant :
« L'art, c'est savoir faire évoluer le premier
trait. Le plus difficile, c'est de poser la première ligne, mais il faut le faire. » Il en est de
même dans les affaires. Il faut agir. Un bon
nombre d'étudiants de grandes écoles de commerce analysent les choses jusqu'à la moelle
mais sans jamais les mettre en pratique. Peut-
être devraient-ils suivre des cours de dessin...

TERRAINS DE CHASSE

C'est une chose que d'être ouvert aux nouvelles idées ; c'est autre chose que de passer à l'offensive et de les rechercher activement. Je vous encourage à être un « chasseur d'idées », à aller les rechercher en dehors de votre domaine. Ce devrait être facile pour vous ; biologiquement parlant, vous êtes chasseur. En quatre millions d'années, l'espèce humaine a évolué et s'est développée. L'homme a été chasseur pendant toutes ces années à l'exception des 20 000 dernières. Vous possédez donc, le système nerveux et le cerveau nécessaires à la chasse aux idées et à l'information qui vous entourent.

Exercice :
Où allez-vous chasser vos idées ? Quelles sources (gens, endroits, types d'activité, situations) utilisez-vous pour avoir de nouvelles idées ?

J'ai posé cette question à pas mal de gens. Voici certaines de leurs réponses.

Magie. J'étudie la magie, et grâce à elle, j'ai pris conscience du pouvoir qu'ont certains symboles quand ils sont associés les uns aux autres. Cette connaissance m'a servi pour des démonstrations commerciales.

Voyages en famille : Lorsqu'on part en vacances en famille, j'ai l'habitude d'emmener tout le monde visiter une usine pour voir comment sont fabriquées les choses et selon quels procédés. Nous avons ainsi vu des usines de fabrication de disques, de céramique, et des distilleries.

Cours d'art dramatique : En prenant des cours d'art dramatique, je me suis rendu compte de l'effet positif que pouvait avoir un encouragement sur une personne. J'ai assisté à des répétitions si mauvaises que j'étais gêné d'en être spectateur. Mais le professeur critiquait ses élèves sur un ton si encourageant, que la plupart de ces derniers sont devenus acteurs professionnels. Je pense que l'on peut en tirer une leçon pour un grand nombre de domaines de la vie.

 Dépotoirs : Se promener dans un dépotoir permet de replacer les choses à leur juste valeur. On y voit là la destination finale de presque tous les objets de nos désirs.

Gens différents : J'aime passer du temps avec des gens dont les systèmes de valeurs sont différents du mien. J'aime savoir ce qui est important pour eux ; ça me permet de savoir ce qui est important pour moi.

Écouter un disque d'effets spéciaux : Ça m'aère vraiment l'esprit.

 Marché aux puces : Les marchés aux puces sont l'un des derniers bastions de la liberté d'entreprise. Si vous voulez tout savoir sur une économie libérale, allez vous promener au marché aux puces. Vous y verrez quelles valeurs les gens attribuent aux choses.

Vieilles revues scientifiques : Des idées me viennent en lisant les revues scientifiques populaires du début du siècle. Elles étaient pleines de bonnes idées dont la mise en application était impossible car le matériel n'existait pas, ce qui n'est plus le cas aujourd'hui.

 L'Histoire : L'Histoire est remplie d'idées. La marche de Napoléon sur Moscou c'est tout à fait de la gestion de projets ! La guérilla de Mao me fait penser au lancement d'une campagne publicitaire.

 Les petites annonces : La rubrique petites annonces d'un journal vous en apprend beaucoup plus sur la mentalité des gens que la page de « une ». Dans les petites annonces, il y a tout ce que les gens désirent, et cela me donne des idées.

 Sports : Je pense que le sport est une excellente source d'idées. Je fais un parallèle entre la raison pour laquelle certaines équipes gagnent toujours et celle qui fait que certains managers se montrent incapables de motiver leur personnel.

 Étudier superficiellement un sujet : Je trouve plus d'idées dans un livre de poche d'initiation à 20 F que dans un livre exhaustif à 150 F. C'est un exemple concret de la règle des 80/20*.

---

* Règle selon laquelle 80 % du chiffre d'affaires d'une société est en général réalisé avec 20 % de sa clientèle. (NdE.)

CONCLUSION

La spécialisation fait partie de la vie. Si vous voulez avancer, vous devez restreindre vos centres d'intérêt et limiter votre champ de vision. Cependant, quand vous essayez d'avoir des idées nouvelles, de telles attitudes dans le traitement des informations peuvent vous limiter. Elles peuvent non seulement vous amener à cerner vos problèmes trop étroitement, mais aussi vous empêcher d'aller pêcher des idées nouvelles dans des domaines extérieurs.

Pour contrebalancer les effets de la spécialisation nous pourrions tenir compte du conseil qu'Edison donna à ses collègues : « Prenez l'habitude d'être à l'affût d'idées originales et intéressantes que les autres ont utilisées avec succès. Votre idée ne doit être originale que dans son appplication au problème sur lequel vous travaillez. »

Voici quelques conseils qui vous aideront à améliorer votre aptitude à la chasse.

□ *Conseil n° 28*
Développez une attitude de chasseur, la perspective que, où que vous alliez, des idées sont à découvrir.

□ *Conseil n° 29*

Ne vous laissez pas déborder au point où vous perdriez le temps libre nécessaire à la chasse aux idées. Consacrez-lui du temps au cours de votre journée ou de votre semaine. De petites digressions pourront vous mener à de nouveaux terrains de chasse.

□ *Conseil n° 30*

Ménagez-vous plusieurs types de terrains de chasse. Plus vos connaissances seront étendues et diversifiées, plus vous aurez de sources d'inspiration.

□ *Conseil n° 31*

Recherchez les analogies avec votre situation. Des problèmes semblables aux vôtres ont souvent été résolus dans d'autres domaines.

□ *Conseil n° 32*

Quand vous « capturez » une idée, notez-la bien.

9
"ARRÊTEZ DE DÉCONNER"

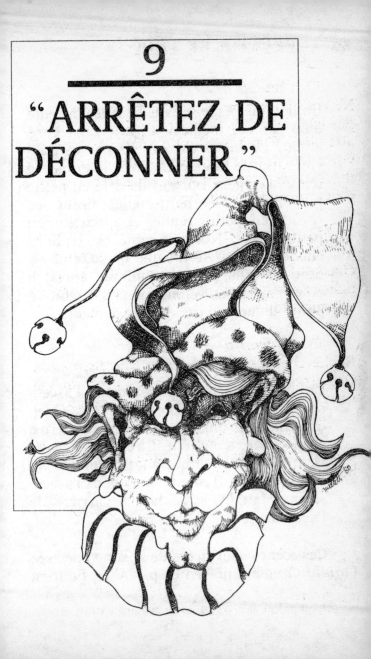

1ʳᵉ *Scène*

Un homme pénètre dans la salle d'attente d'un cabinet médical. Il jette un regard autour de lui et est surpris par ce qu'il voit : tout le monde est assis là en petite tenue. Les gens boivent du café en petite tenue, fument en petite tenue, lisent des revues en petite tenue, et discutent en petite tenue. Notre homme est d'abord choqué, puis il se dit que quelque chose doit lui échapper. Une minute après, il enlève aussi ses vêtements et s'asseoit en petite tenue en attendant le docteur.

2ᵉ *Scène*

Un homme attend patiemment l'ascenseur dans un immeuble de bureaux. Quelques instants plus tard, l'ascenseur arrive et les portes s'ouvrent. Il regarde à l'intérieur et remarque que tout le monde lui tourne le dos. Il monte alors dans l'ascenseur et fait lui aussi face à l'arrière de l'ascenseur.

Ces scènes sont tirées de la série télévisée *Candid Camera* * présentée par Allen Funt en

---

* L'équivalent de notre « Caméra invisible ». (NdE.)

1960. Elles confirment toutes deux ce que d'innombrables tests psychologiques ont démontré, à savoir que dans la vie, la meilleure façon de s'en sortir est de suivre l'exemple.

Nous sommes tous soumis aux pressions d'un groupe. Si vous analysez votre propre comportement, vous verrez à quel point vous vous conformez à certaines situations. Supposons que vous soyez sur l'autoroute et que tout le monde autour de vous roule à 150 kilomètres à l'heure (la vitesse limite étant 130 km/h). Que se passe-t-il? Difficile de ne pas enfreindre la loi, n'est-ce pas? Vous voilà pris dans le flux de la circulation. Ou encore supposez que vous êtes un piéton en train d'attendre à un croisement. Il y a dix autres personnes à côté de vous. Le feu est vert, mais il n'y a pas de circulation. L'un des piétons traverse alors. Peu après, un autre suit, puis encore un autre. En un rien de temps, tous les piétons ont traversé au feu vert. Et vous comme les autres, car vous vous sentiriez idiot de rester seul à attendre.

L'Avantage d'Être Conformiste

Il y a au moins deux raisons d'être conformiste. D'abord, la vie en société demande une coopération entre ses membres. Sans conformisme, la circulation serait entravée, les objectifs de production ne seraient pas atteints, et la structure de la société se désintégrerait. Les avantages qu'offrent la vie sociale nous coûtent certainement une partie de notre individualisme.

Deuxièmement, que faisons-nous dans les situations où nous sommes perdus ? Nous regardons les autres pour y trouver la bonne façon d'agir et de progresser. Supposons que vous vous trouviez dans une laverie automatique et que vous ne sachiez pas très bien comment faire fonctionner la machine à laver. Que faites-vous ? Vous jetez probablement un coup d'œil sur la personne qui est à côté de vous et essayez de faire comme elle.

Voici un autre exemple, qui nous est donné par Saint-Augustin. Lorsqu'il était jeune prêtre à Milan en Italie, Augustin eut un problème et alla donc demander conseil à son évêque, Ambroise. Saint-Augustin devait passer le week-end à Rome où l'on avait coutume de célébrer le jour du Seigneur le dimanche, alors qu'à Milan on le célébrait le samedi.

Augustin hésitait donc sur le jour approprié. Ambroise résolut son problème en lui disant :

À Rome, faites comme les Romains.

L'Opinion du Groupe

Les nouvelles idées n'apparaissent pas dans un environnement conformiste. Lorsque des gens se réunissent, le danger est d'avoir une « opinion de groupe ». C'est le phénomène par lequel les membres d'un groupe sont davantage soucieux d'obtenir l'approbation des autres membres plutôt que de proposer des solutions créatives aux problèmes discutés. La pression du groupe peut être un obstacle à l'originalité et aux idées nouvelles. Quand tout le monde pense de la même manière, personne ne réfléchit beaucoup.

Alfred Sloan connaissait les dangers de l'opinion de groupe. A la fin des années trente, Sloan présidait une réunion du conseil d'administration de General Motors. Une idée fut avancée et toutes les personnes présentes l'accueillirent avec enthousiasme. Quelqu'un dit : « On va se faire beaucoup d'argent avec ça ! ». Une autre dit : « Il faut l'appliquer le plus vite possible. » Une troisième dit : « On va enfoncer la concurrence. » Après la discussion, Sloan dit : « Il est maintenant temps de mettre la proposition au vote. » Le tour de table fut fait, et un par un, chaque membre du conseil vota « oui ». Quand ce fut à Sloan de voter, il dit : « Si je vote " oui " aussi, il y a unanimité. C'est pour cette raison que je vais ajourner ma décision. Je n'aime pas du tout la manière dont nous réagissons depuis quelque temps. Nous n'envisageons cette nouvelle proposition que d'un seul point de vue, et c'est une manière dangereuse de prendre des décisions. Je veux que chacun de vous passe le mois qui vient à étudier cette idée sous un angle différent. » Un mois passa et la proposition fut de nouveau mise sur le tapis lors de la réunion suivante. Cette fois, elle fut rejetée. Une occasion avait été donnée aux membres du conseil de se libérer de l'influence de l'opinion du groupe.

LE FOU

En tant que décideur et créatif, vous aurez à résoudre les problèmes posés par le conformisme et l'opinion du groupe. Comment faire ? Vous souvenez-vous de quelle manière les rois se protégeaient autrefois des courtisans flagorneurs. Eh oui, ils avaient un « fou ». Les conseillers du roi disaient souvent amen à tout ce que le roi disait. Ce dernier savait que ce n'était pas ainsi qu'on prenait les bonnes décisions. Le fou avait pour rôle de parodier toute proposition soumise. Les plaisanteries du fou venaient « réveiller » la réflexion du roi et le forçaient à remettre en cause ses présomptions. Ainsi, le roi se gardait des opinions collectives et concevait des idées nouvelles.

Comment jouer aujourd'hui le rôle du fou ? Il existe de nombreux moyens.

Le fou pourrait utiliser une forme de logique absurde. C'est l'histoire du fou qui transportait une bombe dans sa serviette chaque fois qu'il prenait l'avion. Après quelque temps, il fut arrêté par les autorités qui lui demandèrent pourquoi il faisait cela. « Pour ma sécurité personnelle », répondit le fou. « Un soir, j'ai calculé qu'il y avait une chance sur mille pour que quelqu'un embarque une bombe dans un avion. Ça m'a bien sûr effrayé et j'ai pris la décision de ne plus jamais prendre l'avion. Puis je me suis rendu compte qu'il y avait une chance sur cinquante mille qu'il y ait deux bombes en même temps à bord d'un avion. Depuis, j'ai toujours pris la mienne avec moi. »

Le fou pourrait nier l'existence d'un problème et donc modifier le cadre de l'analyse. La plupart des gens pensent que la crise économique est une mauvaise chose. Pas le fou. Il pourrait dire : « La crise, c'est bien. Les gens travaillent mieux et plus dur quand une menace pèse sur leur emploi. De même, comme les entreprises ont tendance à s'alourdir, la crise les oblige à faire des coupes sombres afin de retrouver leur compétitivité et être plus agressives. »

Le fou essaiera d'inverser nos présomptions. Il dira : « Si un homme est assis à cheval face à la queue, pourquoi présumons-nous que c'est l'homme qui est à l'envers et non le cheval ? »

Le fou peut être absurde. Ayant perdu son âne, le fou se mit à genoux et commença de remercier Dieu. Un passant le vit et demanda : « Votre âne a disparu ; pourquoi remerciez-vous Dieu ? » Le fou répondit : « Je le remercie d'avoir fait en sorte que je n'étais pas sur l'âne alors. Sinon, j'aurais disparu aussi. »

Le fou louera ce qui est dérisoire et se jouera de ce qui est exalté. Il parodiera les règles. C'est à lui que revient cette tâche. Mais ce faisant, le fou stimule notre créativité. Les idées folles peuvent réveiller l'esprit de la même façon qu'un seau d'eau froide réveille un homme endormi. Ainsi, le fou nous force à réfléchir ne serait-ce qu'un instant — sur ce que nous croyons être la réalité. Nos présomptions quelles qu'elles soient, sont subitement supprimées et le champ de vision considérablement élargi.

Tout cela est très bien. À une époque où tout change très vite, qui peut dire ce qui est juste et ce qui est insensé ?

Comme l'a dit Einstein :

Est-ce moi ou les autres qui sont fous ? C'est une question assez floue.

Le fou a parfois plus de bon sens que l'homme avisé. De nombreuses idées qui il y a cinq ans encore passaient pour folles sont aujourd'hui une réalité.

LES FOUS ET LES RÈGLES

Dans mes séminaires, je donne souvent l'occasion aux participants de jouer le rôle du fou. J'ai appelé ce jeu : « Les fous et les règles. » C'est un jeu très facile ; vous prenez la chose qui vous est la plus chère et la sacrifiez sur l'autel de la bêtise. Voici quelques exemples :

RÈGLE : « Soyez toujours poli au téléphone. »

LE FOU : « Vous plaisantez ? En étant grossier, on réduit la durée de l'appel. Ce qui donne plus de travail à notre service de relations publiques. Ça permettrait de supprimer la touche de mise en attente et mènerait à des rapports très sains entre employés. Enfin, être grossier au téléphone pourrait servir d'exutoire à toutes les tensions et frustrations. »

RÈGLE : « Défense de fumer dans la raffinerie. » (À propos d'une compagnie pétrolière.)

LE FOU : « C'est idiot.
1) Si fumer était autorisé, il y aurait moins d'allocations vieillesse à verser.
3) La pollution serait diminuée.
4) Les réservoirs seraient mieux fabriqués (pour éviter les fuites) à cause des explosions possibles.
5) On pourrait tout reconstruire à la japonaise ou à l'allemande et rattraper ainsi notre retard technologique. »

RÈGLE : « Communiquez toujours par la bonne voie hiérarchique afin de ne pas prendre votre boss par surprise. »

LE FOU : « C'est du temps perdu. Après tout, les patrons aussi aiment les surprises. Ça supprimerait tout risque d'idées préconçues (et nous savons tous que les idées préconçues sont un obstacles aux idées créatives).

On montrerait aussi qu'il y a un tas de choses qui se passent sans que personne ne soit au courant. En plus, vous sortiriez très vite du rang parce que vous seriez toujours mis sur la sellette. »

RÈGLE : « Notre entreprise s'est engagée dans la voie de la perfection. »

LE FOU : « Et pourquoi pas simplement " engagée " ou bien " engagée dans une voie sans issue ". Réfléchissez un peu aux possibilités ! Nous passerions moins de temps à la mise au point, au contrôle de la qualité, et les dépenses de formation seraient moins élevées. Les pièces manquantes ne viendraient plus ralentir le rythme de production. Nous n'aurions plus peur d'essayer de nouvelles idées — après tout, qu'est-ce qu'on aurait à perdre ? Quant au client, il serait agréablement surpris chaque fois qu'un de nos produits marcherait. Comme il ne s'y attendrait pas, il n'aurait plus de raisons d'être déçu. »

« Dans le passé, nous avons su vendre nos produits sur la base de leur qualité technique. Avec des produits médiocres, il faudrait réapprendre à vendre. Mais ce ne serait pas difficilè. Le marché serait plus important. Dans le monde, il y a plus de gens médiocres que de gens parfaits. Après tout, rien ne réussit mieux que la médiocrité car tout le monde la comprend très bien. »

Comme vous le voyez, jouer le rôle du fou est très amusant. C'est aussi un moyen génial d'avoir des idées et de remettre en cause vos présomptions. Bien sûr, les idées obtenues ne sont pas toujours immédiatement utiles, mais il se peut qu'une idée folle conduise à une idée pratique et créative. Si vous ne parvenez à rien, vous comprendrez au moins pourquoi la règle qui en est la cause a été instaurée.

Conclusion

Niels Bohr a dit un jour : « Certaines choses sont si sérieuses qu'il vous faut les tourner en dérision. » Sa remarque est judicieuse. Certains épousent si étroitement leurs idées qu'ils en arrivent à les placer sur un piédestal. Il est vrai qu'on peut difficilement être objectif lorsqu'on a mis beaucoup de son ego dans une idée.

□ *Conseil n° 33*
Abandonnez à l'occasion votre « garde-fou » et voyez quelles idées folles sortent de votre tête. Qui sait, il y a peut-être un emploi pour vous dans le royaume le plus proche.

□ *Conseil n° 34*
Soyez attentifs aux moments où vous ou ceux qui vous entourent se montrent conformistes et ne laissent pas le « fou » s'exprimer. Sinon, vous risquez de laisser s'installer une situation d'« opinion de groupe ».

□ *Conseil n° 35*
Que la farce soit avec vous.

10
" JE NE SUIS PAS CRÉATIF "

LA PÉNURIE DE PAPIER HYGIÉNIQUE

> « Ce qui m'intéresse
> ce n'est pas trop
> ce que les choses sont,
> mais plutôt la manière
> dont les gens les voient. »
>
> Épictète

Il y a quelques années, Johnny Carson* fit une plaisanterie lors de son show télévisé en affirmant qu'il y avait pénurie de papier hygiénique dans le pays. Il poursuivit par une description des conséquences terribles que cette pénurie pourrait avoir. La conclusion était que les téléspectateurs feraient mieux de se mettre à stocker du papier hygiénique immédiatement afin de ne pas avoir à supporter ces conséquences. Le sujet fit rire beaucoup, mais il n'y avait en réalité aucune pénurie de papier hygiénique. En quelques jours, toutefois, une véritable pénurie apparut. Convaincus de l'existence de la pénurie, les gens avaient déva-

---

* Johnny Carson est un animateur vedette aux États-Unis, depuis plus de vingt ans. Son show quotidien est l'un des plus regardés de la chaîne NBC.

lisé les rayons où l'on vendait du papier hygiénique et semé ainsi la confusion.

C'est un bon exemple de prophétie qui s'accomplit d'elle-même. C'est un phénomène selon lequel une personne croit vraie une chose qui ne l'est pas, agit selon sa croyance, et par son action rend cette croyance vraie. Comme vous le voyez dans le cas d'une prophétie qui s' « autoréalise », le monde de la pensée prend le pas sur celui de l'action. Ce qui arrive souvent dans la vie.

Les hommes d'affaires sont tout à fait familiers de ce genre de phénomène. En fait, il est à la base de toute notion de confiance en affaires. Si un homme d'affaires pense qu'un marché est porteur (bien qu'il ne le soit pas), il y investira de l'argent. Ce qui entraîne la confiance des autres et rend le marché porteur.

Les éducateurs connaissent aussi ce type de phénomène. Il y a quelques années, quelqu'un affirma à un professeur new-yorkais qu'elle avait une classe particulièrement douée, alors qu'en fait sa classe était tout à fait normale. En conséquence, elle se démena pour élever encore le niveau de ses élèves. Elle consacra plus de temps à la préparation des cours et resta souvent très tard pour donner des idées à ses élèves. La classe, de son côté,

réagit de façon positive et obtint des notes au-
dessus de la moyenne ce qui n'était pas le cas
auparavant. Traités comme des enfants doués,
les élèves eurent des résultats d'enfants doués.

On retrouve le même phénomène chez les
athlètes. J'ai remarqué que ce qui différenciait
principalement les gagnants des perdants
c'était la conviction des gagnants qu'ils
allaient gagner et la raison ou l'excuse que se
donnaient les perdants pour perdre. Bob Hop-
per en est un bon exemple ; il fut, en 1965, l'un
de mes coéquipiers en natation à l'université
de l'Ohio. Bob était champion national et il lui
arrivait rarement de perdre une course. Un
jour que nous étions à l'entraînement, je lui
demandai pourquoi il gagnait toutes ses
courses. Il répondit :

> Il y a plusieurs raisons. En premier lieu,
> j'ai un bon mouvement de bras. Deuxiè-
> mement, je m'entraîne beaucoup — je
> mets tout ce que j'ai dans chaque lon-
> gueur. Troisièmement, je me soigne et je
> m'alimente bien. Mais mes principaux
> concurrents font aussi tout cela très bien.
> Donc la différence entre « être bon » et
> « gagner », c'est ma préparation mentale
> avant chaque compétition.
>
> Le jour qui précède la compétition, je
> commence par faire défiler les images sui-

vantes dans ma tête. Je me vois arriver à la piscine. Trois mille supporters sont assis dans les tribunes et la lumière se reflète dans l'eau. Je me vois aller vers le plongeoir, mes concurrents à mes côtés. J'entends le coup de pistolet et me vois plonger dans la piscine et faire le premier mouvement de papillon. J'attaque à fond dès le deuxième mouvement, puis j'enchaîne. Je me vois atteindre l'autre bord, virer et repartir en dos crawlé avec déjà une légère avance. Cette avance s'accroît au fur et à mesure que je tire sur mes bras. Puis j'attaque la brasse. C'est mon point fort, et là j'explose vraiment. Je termine en crawl. Je me vois gagner ! Ces images je les fais défiler dans ma tête trente-cinq ou quarante fois avant chaque compétition. Et quand le moment est venu, je plonge et je gagne.

Bob nous montre qu'en se concentrant sur une pensée particulière, on libère un véritable pouvoir qui se traduit au niveau de l'action.

JE SUIS LE MEILLEUR

Exercice :
Êtes-vous créatif ? (Cochez la bonne réponse.)

 OUI   □ NON

Il y a plusieurs années, une grande société pétrolière était préoccupée par l'absence de productivité créative au sein de son service de recherche et développement.

Pour résoudre ce problème, la direction générale fit appel à une équipe de psychologues afin de déterminer quelles différences existaient entre les créatifs et les non-créatifs du département. On espérait que leurs conclusions serviraient à stimuler le personnel moins créatif.

Les psychologues posèrent aux scientifiques toutes sortes de questions qui avaient aussi bien trait à leur éducation qu'à leur enfance ou leur couleur préférée. Après trois mois d'études les psychologues conclurent que ce qui différenciait les deux groupes était que :

Les personnes créatives *pensaient* être créatives et les personnes moins créatives ne *pensaient* pas l'être.

En conséquence, les personnes qui pensaient être créatives s'autorisaient un état d'esprit embryonnaire et jouaient avec leurs connaissances. Les autres, les « Je ne suis pas créatif » étaient trop prisonnières par leur sens pratique et trop prisonniers de routines mentales.

Les « Je ne suis pas créatif » n'osent pas se lancer parce qu'elles sont persuadées que la créativité, c'est du domaine de gens comme Beethoven, Einstein ou Shakespeare. C'est vrai, ces personnages sont autant d'étoiles qui brillent au firmament de la créativité, mais, en général, leurs grandes idées ne leur sont pas tombées du ciel. Au contraire, la plupart de leurs idées géniales sont nées de l'intérêt qu'ils ont su porter à leurs idées *intermédiaires*. Ils ont joué avec et les ont transformées en grandes idées. Il en va ainsi pour la plupart des idées *moyennes*. Ces dernières sont issues d'idées *mineures* sur lesquelles leurs auteurs se sont penchés. Ils leur ont progressivement donné une forme plus importante.

En conclusion, la grande différence entre créatifs et non-créatifs est que les premiers attachent de l'importance aux *petites idées*. Bien qu'ils ne sachent pas où elle les entraînera, ils savent qu'une idée, si petite soit-elle, peut mener à une découverte sensationnelle, et ils pensent être capables de favoriser cette mutation.

LES DEUX GRENOUILLES

Il était une fois deux grenouilles qui tombèrent dans un pot de crème.

La première grenouille, voyant qu'il n'y avait pas moyen de prendre pied dans le liquide blanc, accepta son sort et se noya.

Cette solution ne plaisait pas à la seconde grenouille. Elle commença de battre la crème avec ses pattes et fit tout ce qu'elle put pour se maintenir à la surface. Après quelque temps, tous ces fouettements avaient fait tourner la crème en beurre, et elle put sortit d'un bond du pot.

Moralité : si vous pensez pouvoir trouver la deuxième bonne réponse, il y a de fortes chances pour que vous la trouviez.

Si vous voulez être plus créatif, croyez en la valeur de vos idées, et persistez à bâtir sur elles. Avec cette attitude, vous prendrez des risques supplémentaires et violerez occasionnellement les règles. Vous rechercherez plus d'une bonne réponse, vous chasserez les idées en dehors de chez vous, vous accepterez l'ambiguïté, vous jouerez au fou de temps à autre, vous jouerez, vous vous demanderez : « Et si...? », et vous serez amenés à dépasser le *statu quo*. En fin de compte, vous réaliserez que la *meilleure idée du monde, c'est dans votre tête qu'elle est.*

CONCLUSION

Les mondes de la pensée et de l'action se superposent. Vos pensées peuvent réellement se réaliser.

☐ *Conseil n° 36*
Expérimentez, essayez de nouvelles choses et bâtissez sur ce que vous trouvez — en particulier les petites idées. Le vrai créatif est certain que ses idées aboutiront à quelque chose. Bonne chance !

EXAMEN

Voici l'occasion de se servir des idées
que vous avez tirées de ce livre
et de les mettre en pratique. Bonne chance !

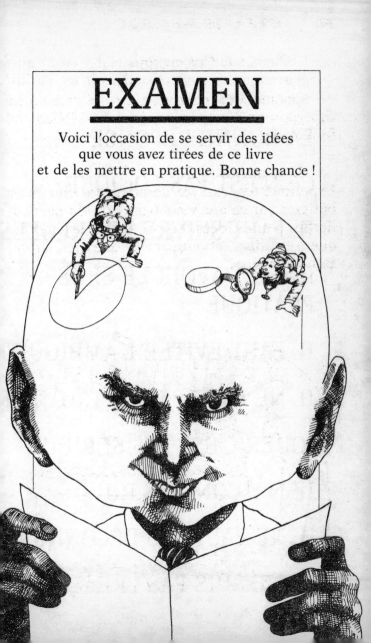

1. Quels sont les verrous (s'il y en a) qui peuvent vous empêcher d'avoir et d'utiliser des idées.

☐ LA BONNE RÉPONSE

☐ CE N'EST PAS LOGIQUE

☐ IL FAUT SUIVRE LES RÈGLES

☐ IL FAUT AVOIR LE SENS PRATIQUE

☐ IL FAUT ÉVITER L'AMBIGUÏTÉ

☐ IL NE FAUT PAS SE TROMPER

☐ JOUER C'EST PAS SÉRIEUX

☐ JE N'Y CONNAIS RIEN

☐ IL NE FAUT PAS DÉCONNER

☐ JE NE SUIS PAS CRÉATIF

2. Comment pouvez-vous faire sauter ces verrous ?

3. Quel est votre type de pensée créative ?

A) Quelle cote vous donnez-vous en tant que *magicien* ? Combien de fois vous arrive-t-il de vous demander « Et si...? », ou d'utiliser des idées peu réalistes comme tremplins pour des idées nouvelles ?

1	2	3	4	5	6	7	8	9	10

Jamais De temps en temps Parfois Souvent

B) Quelle cote vous donnez-vous en tant que *révolutionnaire*? Combien de fois vous arrive-t-il de remettre en cause des présomptions, de défier les règles, ou de laisser tomber des idées dépassées?

1	2	3	4	5	6	7	8	9	10

Jamais De temps en temps Parfois Souvent

C) Quelle cote vous donnez-vous en tant que *poète*? Vous arrive-t-il de faire appel à votre pensée floue (métaphores, ambiguïté) pour trouver des idées?

1	2	3	4	5	6	7	8	9	10

Jamais De temps en temps Parfois Souvent

D) Quelle cote vous donnez-vous en tant que *chasseur*? Combien de fois vous arrive-t-il d'aller chasser les idées en dehors de votre domaine?

1	2	3	4	5	6	7	8	9	10

Jamais De temps en temps Parfois Souvent

E) Quelle cote vous donnez-vous en tant que *déconneur*? Combien de fois vous arrive-t-il de désamorcer une « opinion de groupe » qui menace.

1	2	3	4	5	6	7	8	9	10

Jamais De temps en temps Parfois Souvent

4. On dit souvent que Frédéric le Grand (1712-1786) a perdu la bataille d'Iéna (1806), ce qui revient à dire que vingt ans après sa mort, l'armée perpétuait le type d'organisation qui lui avait jusque-là réussi, plutôt que de s'adapter aux changements survenus dans l'art de conduire une guerre.

Y a-t-il, dans votre entreprise des idées ou des pratiques qui ont réussi dans le passé mais qui limitent à présent la productivité et la croissance? Comment pouvez-vous vous en défaire?

5. Si l'emploi que vous occupez actuellement était subitement supprimé, que feriez-vous? Citez trois alternatives possibles.

6. Posez-vous trois questions du type « Et si...? » à propos d'une situation que vous étudiez en ce moment. Utilisez-les pour stimuler votre réflexion et élargir votre champ de vision.

7. Pensez à un produit ou service majeur commercialisé par votre société. Essayez de lui trouver une utilisation bizarre ou absurde. Comment lanceriez-vous ce même produit ainsi repositionné?

8. Imaginez deux légendes à cette illustration.

9. Un manager demanda un jour à Peter Drucker quel était le truc à apprendre pour devenir un meilleur manager. Drucker lui répondit : « Apprenez à jouer du violon. » Quelle activité extra-professionnelle pourriez-vous développer pour être plus créatif ?

10. Faites une métaphore d'un problème ou d'un projet sur lequel vous travaillez en ce moment.

11. Suggérez à votre patron que vous passiez un ou deux jours dans le mois qui suit pour entreprendre une opération ou une activité originale en dehors de votre spécialité. Qu'est-ce que ce serait ? En quoi cela pourrait-il intéresser votre patron ? Comment le convaincriez-vous ?

12. Quels sont les trois erreurs ou échecs les plus importants que vous ayez eus au cours des trois dernières années ? Quelles en furent les conséquences bénéfiques ?

13. Faites la liste de cinq choses qui pourraient faire travailler votre *muscle du risque*. Quelle perte maximum pour vous entraînerait une telle prise de risque ? Que pourriez-vous gagner ?

14. Supposons que votre société vous ait envoyé consulter l'oracle. On vous a donné deux prophéties. La première a trait au présent, la seconde à l'avenir. Comment les interpréteriez-vous ?

> *a. Percée.* Il faut résolument annoncer les faits à la Cour du roi. Il faut dire la vérité. Danger. Il est nécessaire de prévenir notre propre ville. Cela ne sert à rien d'avoir recours aux

armes. Être entreprenant fait progresser.

b. Enthousiasme. Cela nous avance d'installer des aides et d'expédier des armées.

15. Comment réveillez-vous votre pensée ?

16. Que ferez-vous dans un an ? Qu'aurez-vous réalisé de créatif ? Quels objectifs aurez-vous atteints ? Quels facteurs vous auront rendu ces objectifs difficiles à atteindre ?

ALLEZ,
UN DERNIER
COUP...

L'homme que vous voyez, assis dans le fauteuil, est sur le point d'avoir une idée. Cette idée est liée à ses pensées, et bien sûr, à son expérience. Il se peut qu'il ait une petite idée, mais il se peut aussi que ce soit une grande idée.

Rappelez-vous de ceci : un grand nombre de créatifs passent une bonne partie de leur temps assis dans un fauteuil.

Vous voyez que cette situation toute simple prend maintenant une tournure plus complexe. En fait, vous-même êtes sur le point d'avoir une idée sur ce qu'il pense.

En le regardant de plus près, on s'aperçoit que le visage de notre homme a changé d'expression, ce qui laisse penser qu'il a déjà son idée.

Souvenez-vous-en : les expressions du visage peuvent vous révéler.

En tant qu'observateur, vous tenez votre petite idée. Et peut-être votre idée est-elle meilleure que celle de l'homme dans le fauteuil.

Moralité : Si vous avez une idée, sortez de votre fauteuil et passez à l'acte. Après tout, quelqu'un d'autre a pu avoir la même idée avant vous, et si c'est le cas...

La prochaine,
c'est pour vous!

Table des matières

*Achevé d'imprimer en mars 1990
sur les presses de Cox & Wyman Ltd. (Angleterre)*

Dépôt légal : Avril 1990